Lydie Raisin

Manon Viens
31 juillet 2003
Amqui

Stretching
mode d'emploi

Introduction

Cette méthode s'adresse à tous sans exception et ne présente aucune contre-indication.
Elle consiste à étirer progressivement toutes les parties du corps (articulations et groupes musculaires) en adoptant diverses postures dont les temps de pause varient suivant la difficulté de la technique ou le volume de la masse musculaire à assouplir.

Un minimum de concentration est indispensable pour décontracter complètement les muscles concernés.

Un conseil: exercez-vous devant une glace afin de vous corriger en permanence.

Cette méthode propose:

▲ 4 exercices complémentaires,

▲ à réaliser en moins de 15 minutes à domicile,

▲ 6 fois par semaine,

▲ pendant 4 semaines.

Les différentes méthodes

De nombreuses variantes sont issues de ces méthodes. Il existe presque autant de stretchings que de professeurs...

L'avantage de notre méthode

La prévention des maux de dos et l'amélioration de la souplesse dans toute sa globalité.
Pour cette raison, aucun exercice ne comporte de cambrure lombaire ou de torsion.
Nous souffrons tous plus ou moins de déformations vertébrales et le stretching, comme les autres disciplines, peut en accentuer les effets s'il est mal adapté au pratiquant.
Ce type de stretching est axé essentiellement sur la remise en forme dorsale : avec le temps, le dos se raidit et il importe de l'assouplir, surtout au niveau des lombaires.
Suivant l'âge et les activités physiques exercées par un individu, il est possible de gagner assez rapidement plusieurs centimètres d'amplitude articulaire.
Dans les cas extrêmes et rares, le stretching permet au moins de maintenir l'amplitude articulaire existante.

Le stretching est une méthode d'étirement musculaire **issue du hatha yoga, de la gymnastique et de la danse classique.** Il existe bon nombre de méthodes différentes, mais toutes s'appuient sur cinq procédés d'origine américaine.

Passive lift and hold
(exercer une traction passive et tenir la position)

Il s'agit d'un stretching très élaboré qui se réalise à deux : une personne étire progressivement l'articulation de l'autre jusqu'à son maximum durant une minute.
• Phase 1 : les muscles du membre se contractent pendant 6 secondes.
• Phase 2 : les muscles se laissent étirer passivement.

Ce stretching est basé sur l'alternance de la phase 1 (durée de 6 secondes) et de la phase 2 (durée de 54 secondes).
Cette méthode a fait ses preuves, mais requiert une certaine expérience, un contrôle et une connaissance du corps, et ne peut être pratiquée par un néophyte sans le regard d'un professionnel. Peu pratiquée dans les salles de remise en forme, elle est, en revanche, appréciée dans certains milieux du sport professionnel.

La méthode P.N.F.
(proprioceptive neuromuscular facilitation)

C'est un stretching complexe requérant de l'organisation gestuelle et de la précision ; il s'exécute à deux.
• Phase 1 : on étire au maximum un groupe musculaire.
• Phase 2 : on garde 6 secondes cette extension de façon isométrique (contraction musculaire telle que la longueur du muscle ne change pas, alors que la force augmente). Pour cela, il est nécessaire d'avoir un partenaire ou une machine qui oppose une résistance.
• Phase 3 : sans bouger, on détend le muscle 4 secondes.
• Phase 4 : on étire encore plus le muscle.
• Phase 5 : on maintient la traction maximale 10 secondes.
Pour obtenir un résultat, il faut reproduire au moins trois fois ces différentes phases. Cette méthode est utilisée par des

Les différentes méthodes

athlètes de haut niveau ainsi qu'en rééducation, ce qui a contribué à consolider sa réputation. Elle est cependant pratiquement absente des salles de remise en forme, en raison de sa complexité et de la maîtrise corporelle qu'elle requiert.

Ballistic and hold
(balancer et maintenir la position)

C'est une méthode très controversée, de moins en moins utilisée; pourtant elle n'est absolument pas à bannir. Comme les autres, elle a ses adeptes! Il s'agit simplement de réaliser des balancements d'un bras ou d'une jambe et de le maintenir 6 secondes tous les 4 mouvements en posture extrême. Par rapport aux autres méthodes, elle est beaucoup plus à la portée de tous.

Relaxation method
(méthode de relaxation)

Un partenaire étire pendant une minute minimum une articulation dont les muscles se relâchent peu à peu. Cette méthode, extrêmement efficace, vise à l'obtention de la capacité limite d'extension musculaire et à l'inhibition du réflexe de contraction. Il est possible d'atteindre cet objectif… avec de l'entraînement et du temps! Ce moyen très intéressant de s'assouplir n'est pas à conseiller à des personnes peu sportives. Les tensions ne doivent être exécutées qu'avec sérieux et méthodologie. Ce stretching est recommandé aux personnes très nerveuses ou tendues.

Prolonged stretching
(stretching prolongé)

Un partenaire étire durant une minute une articulation jusqu'à son maximum. La différence avec la précédente méthode est que celle-ci ne nécessite pas une décontraction musculaire durant l'extension.

Si on désire pratiquer le stretching chez soi en toute sécurité, mieux vaut utiliser la méthode la plus simple, qui est décrite dans ce livre. Il s'agit d'un stretching postural, utilisé par des athlètes de haut niveau et apprécié pour les résultats rapides qu'il donne. De plus, il ne nécessite pas de partenaire.

Conseil

La pratique de 10 à 15 minutes de stretching est indispensable ou très bénéfique après les activités suivantes:
- jogging
- vélo
- tennis
- ski nautique
- squash
- escalade
- ski
- randonnée.

Activons-nous, activons-nous!

La majorité d'entre nous activent, en raison de professions sédentaires, presque toujours les mêmes muscles. Ainsi, ces groupes musculaires se renforcent-ils au détriment des autres qui s'atrophient peu à peu et perturbent fortement l'équilibre du corps. C'est en quelque sorte un des aspects dégénératifs fonctionnels. Cela peut d'ailleurs engendrer certaines déformations vertébrales marquées. L'inactivité ralentit également la circulation, entraînant une malnutrition du cartilage. Cela peut donner lieu à une inflammation des articulations, par exemple. Avec l'âge peut survenir l'ostéoarthrite qui provoque une diminution de l'espace autour de la structure osseuse. L'immobilité peut aussi entraîner une calcification.

Les bienfaits du stretching

Vive le stretching

Le stretching permet une diminution du risque de luxation, voire de rupture des articulations, en raison de la souplesse articulaire plus grande qu'il génère (principalement au niveau de l'articulation du genou).
Il est donc essentiel de ne pas supprimer l'échauffement nécessaire à toute activité sportive et de ne pas négliger la phase d'étirement à la fin d'un entraînement.

Stretching et stress...

La contraction musculaire peut être une réaction à un état de stress.
Cette forme de pression dans la masse musculaire est le plus souvent inconsciente et entraîne une dépense d'énergie inutile. Cela peut engendrer un état permanent de lassitude.
Cette contraction musculaire permanente peut occasionner des mouvements mal contrôlés, voire brutaux, des articulations raides et parfois sensibles, voire douloureuses. La pratique régulière du stretching permet de supprimer ces inconvénients en procurant également une détente psychologique.

D'une façon générale, le stretching améliore l'état des muscles, des articulations, des tendons, des ligaments, mais aussi des tissus conjonctifs. Il empêche, entre autres, la déformation musculaire due la plupart du temps à de mauvaises positions dans la vie quotidienne.

Certaines postures de stretching peuvent paraître étranges à un néophyte, mais ce sont elles qui entretiennent la faculté d'adaptation du muscle à l'effort (positions qu'on ne prend jamais dans la vie courante).

Il ne se contente pas d'amener à une mobilité articulaire maximale, mais retarde aussi le durcissement des articulations. Il aide également à la stimulation de la sécrétion du liquide synovial.

Le stretching est recommandé aux personnes souffrant de crampes, ou de fatigue chronique, souvent dues à l'inactivité. En améliorant fortement l'élasticité musculaire, il constitue un excellent moyen de prévention des foulures et même des déchirures musculaires.

Il permet également une meilleure coordination gestuelle. Il est connu pour son action anti-stress et est recommandé aux personnes n'ayant pas une bonne circulation du sang.

Quelques exemples

• Lors d'un étirement du buste, on constate une augmentation de la pression dans les artères. C'est excellent pour la tension artérielle.
• La pratique régulière des flexions du buste génère un meilleur fonctionnement des intestins en faisant office de massage.
• Une rotation du buste amène le foie à mieux se dégorger.
• Les flexions réalisées lors des postures occasionnent une compression du ventre, bénéfique à son métabolisme.
• Certains professionnels du stretching assurent qu'il existe des postures bénéfiques pour l'activité sexuelle.
• Certains exercices ont une bonne influence sur l'activité rénale ou provoquent une stimulation de la glande surrénale.
• Quelques postures, telles les extensions de la colonne vertébrale, augmentent la pression au niveau de l'abdomen, améliorant ainsi l'élimination des matières toxiques, ainsi que la circulation sanguine.

Conseils à suivre avant de commencer

1. Pratiquez le stretching dans une pièce tempérée (20 °C). Fuyez les courants d'air.

2. Exercez-vous sur une moquette ou un tapis de gymnastique.

3. Respectez les temps de posture et de décontraction.

4. Travaillez toujours de façon symétrique (à droite puis à gauche).

5. Pensez à conserver les jambes semi-fléchies durant toute la durée des postures debout (on a toujours tendance, par réflexe, à les retendre).

6. Écoutez une musique relaxante (et surtout pas le bruit de la machine à laver…).

7. Ne faites pas autre chose pendant votre séance de stretching (regarder un film ou écouter une cassette d'anglais).

Attention

Si vous êtes un(e) adepte de la course à pied, pratiquez votre séance de stretching lorsque vous avez éliminé complètement l'acide lactique de vos muscles (au moins une heure après). N'oubliez pas qu'il importe d'assouplir muscles et articulations après une activité rigidifiant la masse musculaire.

Important

Dans le cadre de cours collectifs, le stretching doit être enseigné par des personnes diplômées d'État. Cela est très important car un mauvais enseignement de cette discipline peut avoir des conséquences néfastes durables, notamment au niveau dorsal.
Il est essentiel aussi que le professeur vous informe des postures que vous ne devez pas pratiquer en fonction de votre morphologie ou de vos déformations vertébrales, par exemple…
En effet, certaines techniques issues du hatha yoga comportent des postures à base de cambrure lombaire. Elles ne sont pas à pratiquer n'importe comment, ni par tout individu! Elles sont pour cette raison exclues de ce guide.

Concentrez-vous

On a souvent tendance à raidir la partie musculaire sollicitée au lieu de la relaxer pour mieux l'allonger. D'où la nécessité, pour pratiquer le stretching, d'être concentré. Mais, rassurez-vous, avec un peu de pratique, on y arrive rapidement.

Les postures choisies dans ce guide sont basiques car l'exercice à domicile doit s'effectuer avec le maximum de sécurité. Plus une technique est complexe, plus les risques d'erreur augmentent. Il est donc important de les réduire par une bonne compréhension de la technique.

En réalisant les postures, pensez toujours à:
- vous grandir au maximum durant toute leur durée;
- tirer vos épaules au maximum vers l'arrière;
- placer vos pieds parallèles;
- prendre conscience de la répartition du poids de votre corps;
- écarter vos jambes de la largeur du bassin (sauf pour les écarts, bien entendu);
- avoir les genoux positionnés de face (et non rentrés vers l'intérieur);
- placer le bassin de préférence avancé (en rétroversion).

Le stretching et la respiration

Les bienfaits respiratoires

**Si vous pratiquez régulièrement le stretching, votre aisance respiratoire augmente, vos muscles et articulations s'assouplissent progressivement.
Votre capacité vitale (maximum d'air introduit dans les poumons en partant de l'état d'expiration forcée) est améliorée (pour un adulte : elle est de 3,5 l environ).
Le stretching est souvent recommandé aux personnes souffrant d'asthme (affection liée aux difficultés respiratoires) en raison du rôle important de la respiration.**

La pratique régulière du stretching permet une meilleure prise de conscience de la respiration et améliore le fonctionnement des muscles respiratoires

Il est important, lors de la réalisation des postures :
• de se rendre compte de notre capacité à gonfler la cage thoracique à l'inspiration ;
• de sentir la contraction abdominale à l'expiration.

La respiration est un phénomène naturel qui doit être contrôlé dans certaines circonstances, mais non freiné. Si, lors d'un étirement, vous ressentez une gêne respiratoire quelconque diminuez l'effort. **Il est essentiel de ne pas retenir sa respiration lors d'une posture.**
Dans les exercices qui suivent, l'inspiration est faite par le nez et l'expiration, deux fois plus lente, par la bouche.

Comment s'effectue la respiration ?

La partie la plus importante de l'opération s'effectue au niveau des poumons où le sang veineux se transforme en sang artériel. La respiration réglée par le centre respiratoire situé dans le bulbe rachidien (au rythme d'environ 16 inspirations par minute) est caractérisée par :

• L'inspiration :
- le diaphragme se contracte ;
- la partie supérieure du thorax augmente de volume ;
- la pression baisse ;
- les côtes supérieures se soulèvent ;
- les muscles externes intercostaux et les muscles nécessaires à l'inspiration se contractent ;
- l'air entre dans les poumons : l'oxygène irrigue les tissus et les organes à partir des artères.

• L'expiration :
- le diaphragme se relâche ;
- les muscles expiratoires se contractent ;
- le volume de la cage thoracique diminue ;
- la pression augmente ;
- l'air chargé des gaz usés issus des capillaires est éjecté des poumons.

Le stretching et la respiration

La respiration sans effort physique

Dans le cadre d'une respiration normale, sans effort physique, on nomme V.C. (volume courant) le volume d'air véhiculé entre une expiration normale et une inspiration normale. Il correspond à peu près à 0,5 l.

Si l'on réalise une inspiration plus longue, le volume d'air pénétrant en plus dans les poumons se nomme V.R.I. (volume de réserve inspiratoire). Il correspond à environ 1,5 l d'air.

Ainsi, la somme du volume courant et du volume de réserve inspiratoire se nomme C.I. (capacité inspiratoire). Elle est égale à environ 2 l.

Si on effectue une expiration prolongée et forcée, on rejette l'air appelé V.R.E. (volume de réserve expiratoire). Il correspond à 1,5 l.

La somme du volume de réserve inspiratoire, du volume courant et du volume de réserve expiratoire constitue la C.V. (capacité vitale). Elle correspond à 3,5 l.

Lorsque, dans le cas d'une expiration forcée, on expulse le V.R.E., il reste encore de l'air appelé V.R. (volume résiduel). Il est d'environ 0,5 l.

L'addition du volume d'air résiduel et du volume d'air de réserve expiratoire donne la C.R.F. (capacité résiduelle fonctionnelle). Elle correspond à 2 l.

La somme de la capacité vitale et du volume résiduel est la capacité pulmonaire totale. Elle est d'environ 4 l.

La respiration au cours d'un effort

Premier constat : le volume résiduel reste inchangé, même si l'effort est très important. En revanche, le V.C. (volume courant) augmente au fur et à mesure que le rythme respiratoire s'accélère, puis diminue ensuite légèrement. Le produit du volume courant par la fréquence respiratoire est le débit ventilatoire.

Il y a également une augmentation du volume de réserve expiratoire.

Ces deux augmentations engendrent une diminution plus ou moins forte du V.R.I. (volume de réserve inspiratoire).

Comment doit-on s'habiller pour pratiquer sa séance de stretching ?

Préférez des vêtements amples, confortables, en coton et de préférence assez chauds. N'oubliez pas de porter des chaussettes.

Quelle est l'heure la plus bénéfique pour la pratique du stretching ?

Cela est tout à fait personnel! Que vous soyez matinal(e) ou « couche-tard », peu importe! L'essentiel est que vous vous entraîniez à l'heure où vous ressentez la meilleure disposition (toutes contraintes mises à part, bien entendu).

Existe-t-il des cours collectifs de niveaux différents ?

Oui! Il existe trois niveaux : débutant, avancé, confirmé. Les cours doivent être dispensés par des professeurs diplômés d'État.

Doit-on s'hydrater ?

Si vous en ressentez la nécessité, bien sûr! Le mieux est toutefois de boire un demi-verre d'eau avant la séance et un demi-verre d'eau après; ceci, afin de ne pas éprouver de gêne durant la pratique.

Activités sportives complémentaires

Attention

Certaines maladies rhumatismales comme l'arthrose peuvent prendre de l'ampleur dans le cadre d'activités sportives spécifiques.
En effet, les contraintes répétées peuvent créer des pressions négatives ainsi que des micro-traumatismes (par exemple les arthroses cervicales chez les rugbymen).
Alors, entraînez-vous avec la juste dose !

Le stretching étant la discipline de la souplesse par excellence, les activités complémentaires sont celles faisant intervenir le système cardio-pulmonaire ou améliorant la puissance et la tonicité musculaires.

Ainsi, le stretching s'allie avec tous les sports ou activités sportives sans exception.

Soit il renforcera certaines aptitudes propres à la discipline (par exemple, il aidera la danseuse à être encore plus souple), soit il se révélera indispensable (par exemple, pour le marathonien qui ne peut éviter la pratique des techniques de souplesse).

On peut en faire en alternance avec une ou plusieurs autres disciplines ou, au contraire, à la fin de chaque entraînement spécifique (comme l'athlétisme) ou encore dans le cadre même d'un cours (par exemple réaliser des postures de stretching enchaînées, au milieu et à la fin d'un cours de step ou de « halow-combo » – discipline dynamique dansée de fitness).

Il faut ainsi avoir à l'esprit la pratique, durant toute sa vie, des techniques de stretching afin de pouvoir conserver un minimum d'autonomie gestuelle.

Le stretching, sous la forme posturale ou passive (lorsqu'un partenaire vous étire), est pratiqué par les athlètes de haut niveau, afin d'améliorer leurs performances.

Les gymnastes effectuent aussi le stretching à deux ou en utilisant un bâton pour repositionner leur dos ou améliorer leur écrasement facial (toucher devant soi le sol avec la poitrine).

Le stretching est donc l'activité complémentaire indispensable pour:
- la course à pied,
- le « High-Impact-Aerobic » (aérobic intensif),
- le vélo,
- l'escalade,
- le ski (prévention des chutes),
- la musculation.

Programme d'un mois

Première semaine

Programme du lundi en 15 minutes

Posture 1

Étirement latéral du dos
Faire 4 étirements alternés de 8 secondes chacun.

Posture 2

Étirement du tronc
Faire 4 étirements alternés de 10 secondes chacun.

Posture 3

Extension latérale du buste
Faire 4 étirements alternés de 10 secondes chacun.

Posture 4

Souplesse du bas du dos
Faire 4 étirements de 10 secondes chacun.

N'oubliez pas de vous décontracter complètement en respirant le plus lentement possible entre chaque posture.

Relevez-vous lentement en expirant par la bouche en fin de séance.

La description détaillée de ces techniques se trouve dans les pages suivantes.

Séance détaillée du lundi

Posture 1
Étirement latéral du dos

Description

Doigts serrés, en extension
Bras fléchi
Bras en extension maximale
Tête levée
Bassin basculé vers l'avant
Jambes semi-fléchies
Pieds parallèles

Debout, bras à la verticale.
En inspirant doucement par le nez, attrapez votre poignet droit avec votre main gauche.
En expirant lentement par la bouche, étirez le plus possible le bras droit vers le haut et vers l'arrière pendant 8 secondes.
Décontractez-vous complètement pendant une dizaine de secondes avant d'inverser la position.

Répétition

Faites 4 étirements alternés.

Variante

Nouez vos doigts au-dessus de votre tête et étirez ainsi au maximum vos bras tendus pendant 10 secondes.
À répéter 4 fois.

Le conseil du professionnel :

Étirez les épaules le plus possible vers l'arrière en permanence.

Question

Pourquoi faut-il faire une rétroversion du bassin (poussée vers l'avant) ?

Réponse

Cette position présente une sécurité maximale pour la région lombaire. Il est conseillé de l'adopter systématiquement pour tous les exercices qui se font debout.

Souvenez-vous de vos notions d'anatomie
Les muscles sphinctériens des femmes sont au nombre de :
a) 4
b) 2
c) 3

....

de la vulve.
l'urètre, de l'anus et le constricteur
Réponse : c) 3 : le sphincter de

La relaxation progressive : tous les magazines en parlent !

Cette méthode consiste en une succession de contractions et de relâchements. C'est en quelque sorte une prise de conscience de la contraction d'une zone musculaire précise par rapport à l'ensemble de la masse musculaire inactive.
Elle est recommandée pour soulager les douleurs dorsales.
Elle a également une action préventive vis-à-vis de la tension musculaire.
Une technique de respiration bien nette l'accompagne. Quinze secondes sont nécessaires pour décontracter complètement les muscles et trente secondes minimum pour ensuite les relâcher.
Cette méthode peut se réaliser en cours particulier, en cours collectif ou à l'aide d'une cassette. La position allongée – les yeux fermés – est de rigueur durant toute la séance. À découvrir !

Séance détaillée du lundi

Bras en extension maximale et parallèle au sol

Épaule étirée vers l'arrière

Tête baissée

Main en appui sur la taille

Pieds parallèles

Le conseil du professionnel :

Ayez le dos le plus plat possible mais surtout pas cambré.

Question

Peut-on réaliser cette posture avec les jambes serrées ?

Réponse

Bien sûr, mais elle est plus facile à réaliser avec les jambes écartées, ce qui permet d'avoir une plus grande stabilité.

Posture 2
Étirement du tronc

Description

Debout, jambes écartées, semi-fléchies, basculez le corps vers l'avant en veillant à placer le dos parallèle au sol. Placez la main droite sur un support (table, meuble…), bras tendu : exercez ainsi une extension dorsale et brachiale en tirant au maximum votre bassin vers l'arrière durant 10 secondes et en expirant par la bouche. Inspirez doucement par le nez en vous redressant.

Décontractez-vous complètement pendant une dizaine de secondes avant d'inverser la position.

Répétition

Faites 4 étirements alternés de chaque bras.

Variante

Placez vos deux mains, bras écartés de la largeur des épaules, sur le support et étirez ainsi le bassin vers l'arrière durant 10 secondes.
À répéter 4 fois.

N'abusez pas des excitants !

Certes, la caféine est un stimulant appréciable qui possède des caractéristiques diurétiques reconnues, mais elle peut rendre plus enclin à la fatigue, même au stress, et accentuer un état de palpitation, voire d'hypertension.

Il a également été démontré qu'une consommation excessive de caféine peut engendrer une déminéralisation, comme une perte de zinc, de potassium, de vitamine B1 et de fer. Certains spécialistes pensent que la consommation excessive de café peut engendrer une fragilité osseuse.

Quant au thé, il importe également de le consommer sans excès. Le thé vert aurait des propriétés anti-cholestérol et antioxydantes grâce aux flavonoïdes qu'il contient.

On ne doit pas dépasser deux tasses de café ou deux tasses de thé par jour.

Souvenez-vous de vos notions d'anatomie
Le grand droit est un muscle :
a) jambier
b) abdominal
c) transverse

••••••••••••••••••••••••••••

Réponse : b) abdominal.

Posture 3
Extension latérale du buste

Doigts serrés en extension
Bras tendus
Tête droite
Épaules étirées vers l'arrière
Main sur le sol
Pieds parallèles

Description

Assis : fléchissez au maximum le buste latéralement, le bras droit en élévation. Maintenez ainsi la posture en extension maximale, en expirant par la bouche durant 10 secondes. Inspirez doucement par le nez en vous redressant. Décontractez-vous complètement pendant une dizaine de secondes avant d'inverser la position.

Répétition

Faites 4 postures alternées.

Variante

Réalisez les mêmes flexions latérales, avec les deux bras tendus en élévation pendant 8 secondes.
À répéter 4 fois en alternance.

Le conseil du professionnel :

Évitez de laisser aller le corps vers l'arrière, fléchissez bien le buste dans l'axe latéral du corps et surtout ne décollez pas les fessiers du siège.

Question

Pourquoi le bras en élévation doit-il être tendu ?

Réponse

Il permet un étirement latéral beaucoup plus complet.

Tabac et stretching

Fumer et s'adonner à une discipline comme le stretching sont incompatibles car l'activité respiratoire y joue un rôle essentiel.
En effet, la fumée contient une quantité importante de radicaux libres accélérant le vieillissement, augmentant le mauvais cholestérol, diminuant les vitamines E et C, et altérant les systèmes respiratoire et cardiaque. Il est également connu que le tabac génère un spasme du pylore (orifice faisant communiquer l'estomac et le duodénum).
Les statistiques montrent que plus de 60 000 décès par an sont dus à un tabagisme excessif. Le tabac réduit donc l'espérance de vie. Par conséquent, il ne faut pas hésiter à utiliser les substituts nicotiniques pour éviter les effets néfastes de cette drogue.

**Souvenez-vous
de vos notions d'anatomie**
Le quadriceps est :
a) extenseur de la jambe sur la cuisse
b) fléchisseur de la cuisse
c) abducteur de la cuisse

• •

Réponse : a) extenseur de la jambe sur la cuisse.

Séance détaillée du lundi

Tête levée

Dos plat

Bras fléchis

Jambes tendues et serrées

Pieds fléchis

Le conseil du professionnel :

Étirez au maximum la tête vers le haut afin d'avoir le dos le plus plat possible.

Question

En cas de manque de souplesse, peut-on fléchir les jambes?

Réponse

Non! Il est préférable de garder les jambes tendues au maximum et de tenir avec les mains les chevilles au lieu des orteils.

Souvenez-vous de vos notions d'anatomie
La clavicule s'articule avec :
a) l'apophyse coracoïde et l'acromion
b) l'acromion et l'omoplate
c) le sternum et l'omoplate

• •

Réponse : c) La clavicule s'articule en dedans avec le sternum et le premier cartilage costal, et en dehors avec l'omoplate.

Posture 4
Souplesse du bas du dos

Description

Assis, attrapez vos orteils avec vos mains et fléchissez le buste vers l'avant en inspirant par le nez. Écartez ensuite vos coudes vers le haut au maximum durant 10 secondes en expirant par la bouche.
Inspirez doucement par le nez en vous redressant.
Décontractez-vous complètement pendant une dizaine de secondes avant de recommencer.

Répétition

Faites 4 postures.

Variante

Faites la même posture, avec les jambes écartées, pendant 10 secondes. À répéter 4 fois.

Ne vous exercez pas trop violemment !

Savez-vous que vous pouvez vous faire des bleus simplement en pratiquant un sport d'une façon trop dynamique ? En effet, on peut constater des ecchymoses après une séance de course de vitesse ou d'aérobic.
En fait, l'activité physique peut créer des micro-déchirures au niveau des vaisseaux sanguins. Le sang se répandant dans les tissus crée des ecchymoses. Rassurez-vous, cela n'est pas une raison pour ne pas pratiquer un sport dynamique : cela n'arrive que rarement.
D'où l'importance de toujours exercer une activité physique avec un échauffement progressif bien mené !
Conseil : ne massez jamais une ecchymose !

Pour mieux vieillir, privilégiez toute votre vie l'activité intellectuelle

Entretenir son corps est certes indispensable, mais ne peut suffire. Il importe de faire travailler son potentiel intellectuel aussi bien au niveau de la mémoire visuelle – par exemple reproduire un enchaînement de mouvements – qu'au niveau de la mémorisation de textes.

À tort, on dissocie souvent le corps de l'esprit, alors qu'ils sont liés dans bon nombre de circonstances.

Il y a quelques années, on pensait que déclin intellectuel et vieillissement allaient de pair. On constate aujourd'hui que les facultés cognitives d'un individu ne baissent pas jusqu'à 74 ans et restent opérationnelles jusqu'à 80 ans.

Il existe plusieurs sortes d'aptitudes intellectuelles qui s'altèrent plus ou moins suivant le patrimoine génétique et les conditions de vie de chacun.
On ne peut que constater une diminution de la rapidité d'analyse avec l'âge. Ce ralentissement du cerveau n'est toujours pas expliqué.
Quant à la capacité d'attention, elle varie un peu avec l'âge, mais, avec plus de temps, les seniors sont tout aussi performants que les plus jeunes.

Toutefois, la concentration est moins intense et plus difficile à maintenir pour un senior que pour un plus jeune.

Mais, soyez rassuré, un individu qui entretient sa mémoire par la lecture, des conférences ou tout simplement en communiquant beaucoup avec les autres, compensera largement la diminution d'une certaine forme intellectuelle.

Pratiquez le stretching!

Le stretching est, depuis son origine, pratiqué par des personnes des troisième et quatrième âges afin de leur permettre de conserver ou d'améliorer une amplitude articulaire diminuant avec le temps. Les résultats obtenus sont étonnants!

Que sont les fonctions cognitives?

Il s'agit de fonctions permettant la compréhension du contexte où nous évoluons et la détermination d'attitudes par rapport à celui-ci: elles comportent les fonctions intellectuelles, la motricité gestuelle, la perception sensorielle et la faculté de mémorisation.

Programme du mardi en 15 minutes

Posture 1

Étirement dorsal
Faire 4 étirements de 10 secondes chacun.

Posture 2

Souplesse latérale de la taille
Faire 4 étirements alternés de 10 secondes chacun.

Posture 3

Rotation du tronc
Faire 4 étirements alternés de 15 secondes.

Posture 4

Souplesse des jambes
Faire 4 étirements alternés de 10 secondes chacun.

N'oubliez pas de vous décontracter complètement pendant une dizaine de secondes en respirant le plus lentement possible entre chaque posture.

Relevez-vous lentement en expirant par la bouche en fin de séance.

La description détaillée de ces techniques se trouve dans les pages suivantes.

Séance détaillée du mardi

Posture 1
Étirement dorsal

Description

À genoux, fléchissez complètement le corps vers l'avant en inspirant par le nez. Étirez les bras devant vous en expirant par la bouche pendant 10 secondes.
Inspirez doucement par le nez en vous redressant.
Décontractez-vous complètement pendant une dizaine de secondes avant de recommencer.

Répétition

Faites 4 postures.

Variante

Étirez simultanément un bras avec la jambe opposée pendant 12 secondes, puis inversez. À répéter 4 fois en alternance.

Bras tendus au maximum
écartés de la largeur des épaules

Tête dirigée
vers le bas   Jambes
           légèrement écartées

Paumes sur le sol

Le conseil du professionnel :

Le bassin doit être en permanence en appui sur les talons.

Question

Pourquoi doit-on maintenir le bassin sur les talons ?

Réponse

Pour conserver le dos le plus plat possible pour la région lombaire.

Qu'est-ce que le test de Ruffier ?

C'est un des tests de condition physique les plus connus qui consiste à effectuer 30 flexions sur les jambes en 45 secondes. Il permet de tester la qualité cardiaque durant et après l'effort. Il est souvent réalisé avec un électrocardiogramme.

Ce test doit être fait sous la surveillance d'un médecin et avec précaution pour les personnes qui ne sont pas sportives. Le résultat de ce test permet, d'une part, de connaître sa résistance cardio-pulmonaire et, d'autre part, de mieux pouvoir s'orienter sportivement.

Ce test est surtout utile si on décide de reprendre une activité physique dynamique après une longue période d'inactivité. Il est fortement conseillé de s'étirer à l'aide des techniques de stretching améliorant la souplesse des jambes après ce test.

Souvenez-vous
de vos notions d'anatomie
Le cubitus est un os de :
a) l'avant-bras
b) du bras
c) de la jambe

· ·

Réponse : a) l'avant-bras.

Séance détaillée du mardi

Tête levée

Doigts entrelacés

Paumes tournées vers le haut

Bras en extension maximale

Jambes fléchies et écartées

Pieds parallèles

Le conseil du professionnel :

Les épaules sont haussées le plus possible et étirées vers l'arrière.

Question

Peut-on réaliser cet exercice avec les jambes tendues ou serrées ?

Réponse

Oui, mais à condition d'avoir un dos tonique et de bien fléchir le buste sur le côté et surtout pas à l'arrière.

Souvenez-vous de vos notions d'anatomie

Le tenseur du fascia-lata s'étend :
a) de la hanche et de la cuisse jusqu'au genou
b) du grand fessier à la hanche
c) de l'épaule au coude

• •

Réponse : a) de la hanche et de la cuisse jusqu'au genou.

Posture 2
Souplesse latérale de la taille

Description

Debout, les jambes fléchies et légèrement écartées, tendez les bras en élévation et entrelacez vos doigts en inspirant doucement par le nez. Fléchissez le buste latéralement pendant 10 secondes en expirant par la bouche. Inspirez par le nez en vous redressant doucement.
Décontractez-vous une dizaine de secondes avant d'inverser la position.

Répétition

Faites 4 postures alternées.

Variante

Réalisez la même posture en fléchissant les bras.
À répéter 4 fois en alternance.

Attention aux médicaments psychotropes !

Le terme de médicaments psychotropes désigne l'ensemble des substances chimiques, d'origine naturelle ou artificielle, susceptibles de modifier l'activité mentale sans préjuger du type de cette modification. Parmi eux, on trouve aussi bien les tranquillisants que les anxiolytiques, les antidépresseurs, les hypnotiques, les neuroleptiques.
Dans les pays occidentaux, et en France en particulier, les femmes en consomment plus que les hommes et cela dès l'âge de 20 ans.
La prise de médicaments psychotropes diminue la vigilance et peut conduire à des accidents de la circulation.
Leur consommation régulière entraîne des troubles de la perception, voire une altération profonde de l'état cognitif.
Prescrire des médicaments psychotropes est la solution de facilité souvent pratiquée par certains médecins généralistes qui cèdent trop aisément aux exigences de leurs patients.
Les consommer est une solution aisée qui évite d'avoir à trouver les raisons véritables des troubles psychologiques.

Séance détaillée du mardi

Posture 3
Rotation du tronc

Description

Assis : tendez la jambe droite, faites passer la jambe gauche fléchie au-dessus de la jambe droite.
Tenez le genou gauche avec la main droite et placez la main gauche sur le sol le plus loin possible derrière le dos.
Tournez ainsi au maximum le corps vers la gauche pendant 15 secondes, en déplaçant la main gauche sur le sol, à l'arrière, vers la droite.
Inspirez par le nez et expirez par la bouche le plus lentement possible.
Décontractez-vous complètement pendant une dizaine de secondes avant d'inverser la position.

Répétition

Faites 4 postures alternées.

Variante

Conservez la même position en plaçant le bras droit tendu à l'extérieur de la jambe gauche fléchie et en repoussant celle-ci, au lieu de tenir le genou. À répéter 4 fois en alternance.

Dos en rotation
Jambe gauche fléchie — Tête levée et tournée à gauche
Pied gauche ramené le plus près possible du corps
Jambe droite tendue — Main gauche sur le sol
Bras gauche tendu

Le conseil du professionnel :

Ne penchez pas le dos. Il doit rester impérativement à la verticale malgré sa rotation.

Question

La posture est-elle aussi efficace si la jambe droite n'est pas complètement tendue ?

Réponse

Pas tout à fait ! L'extension de la jambe équilibre l'ensemble de la posture.

D'où provient le mot « stress » ?

À l'origine, il viendrait du français *estrece* (« oppression ») et du latin *stringere* (« serrer »).
Ensuite, le terme devint anglais avec le sens de « privation », puis il servit pour désigner des contraintes s'exerçant sur des matériaux divers et, juste avant rupture, on disait qu'il y avait « stress ». Par la suite, le terme s'est appliqué aux états de tension humaine.
Il fait actuellement partie de notre langage courant.

**Souvenez-vous
de vos notions d'anatomie**
Le nerf crural s'étend :
a) du fémur au tibia
b) des jumeaux à la cheville
c) des 2e, 3e et 4e lombaires au psoas iliaque

• • • • • • • • • • • • • • • • • • • •

Réponse : c) des 2e, 3e et 4e lombaires au psoas iliaque.

Séance détaillée du mardi

Bras fléchis parallèles au sol
Coudes dirigés vers le haut
Pieds fléchis
Dos droit
Jambes en extension maximale

Posture 4
Souplesse des jambes

Description

Assis, jambes serrées devant soi : élevez le plus haut possible une des jambes en expirant par la bouche durant 10 secondes. Inspirez doucement par le nez lors du changement de jambe. Décontractez-vous complètement pendant une dizaine de secondes avant d'inverser la position.

Répétition

Faites 4 postures alternées.

Variante

Fléchissez la jambe qui reste au sol, ce qui rend la posture beaucoup plus facile à réaliser.
À répéter 4 fois en alternance.

Le conseil
du professionnel :

Privilégiez la position
« dos droit »
au détriment
de l'élévation
de la jambe.

Question

Peut-on réaliser cette technique adossé contre un mur ?

Réponse

Oui ! Mais essayez, avec un peu d'entraînement, de réaliser cette posture sans appui.

**Souvenez-vous
de vos notions d'anatomie**
Le périoste fait partie de l'os :
a) intérieurement
b) extérieurement
c) partiellement

• •

Réponse : b) le périoste enve-
loppe l'os extérieurement.

Vive le manganèse !

**Il est indispensable, à l'état de traces, au fonctionnement de certaines enzymes présentes dans toutes les cellules.
En particulier, il joue un rôle dans la contraction musculaire.
À ce titre, il est important dans le fonctionnement de toutes les cellules de l'organisme, donc dans celui des cellules nerveuses.
Les carences en manganèse sont, dans nos pays occidentaux, extrêmement rares, d'autant que le sulfate de manganèse est utilisé comme engrais pour les aliments que nous consommons ensuite.
On le trouve dans les légumes verts, l'ananas frais, le thé et les céréales complètes.**

Comprenez votre sommeil

Le sommeil est un état physiologique caractérisé par l'inconscience, une part de rêve, une décontraction musculaire et un ralentissement respiratoire et circulatoire.

Il est composé d'une suite de cycles comportant chacun une phase de sommeil lent et de sommeil rapide (ou sommeil paradoxal).

Le sommeil lent défatigue l'organisme et commence par un stade léger qui s'intensifie pour donner un sommeil lent très profond.

Le sommeil paradoxal est celui des rêves. Il élimine le stress et est caractérisé par un bref réveil à chaque fin de cycle.

Chaque cycle varie de 90 à 100 minutes, ce qui en fait quatre pour huit heures de sommeil.

Les 4 cycles du sommeil

• Le premier cycle est caractérisé par un sommeil intense et lent et se termine par un court sommeil paradoxal.

• Le second cycle est caractérisé par un sommeil encore plus intense qu'au premier; il se clôt également par un sommeil paradoxal bref. Ce cycle est le plus récupérateur, l'activité de l'organisme étant ralentie.

• Le troisième cycle est plus léger. On pourrait dire que le dormeur, dans ce cycle, a plus de réactions au contexte extérieur. Il se termine également par un sommeil paradoxal plus long.

• Le quatrième cycle est composé d'un sommeil léger, mais également plus agité, et finit par une phase de sommeil paradoxal plus importante que le précédent. C'est dans ce cycle que la température du corps remonte.

Ne laissez pas l'insomnie s'installer !

L'insomnie chronique arrive souvent à la suite d'une insomnie occasionnelle. Le stress et l'anxiété sont des facteurs déterminants pour l'apparition de l'insomnie. Le rythme de vie joue un rôle primordial dans ce type de problème. Les hôtesses de l'air, par exemple, sont pour la plupart sujettes à des troubles du sommeil en raison des décalages horaires.

Il ne faut toutefois pas confondre les « vrais » insomniaques avec les « faux ». Les vrais ont tendance à l'endormissement en cours de journée et à des changements d'humeur. Les faux sont tout simplement des dormeurs ayant moins besoin de sommeil (parfois seulement de 4 ou 5 heures).

Heureusement, des techniques de relaxation et de sophrologie permettent actuellement une amélioration des états insomniaques.

Programme du mercredi en 15 minutes

Posture 1
Étirement général
Faire 4 étirements alternés de 10 secondes chacun.

Posture 2
Souplesse des épaules
Faire 4 étirements alternés de 12 secondes chacun.

Posture 3
Rotation de la taille
Faire 4 étirements alternés de 8 secondes chacun.

Posture 4
Souplesse des adducteurs
Faire 3 étirements de 15 secondes chacun.

N'oubliez pas de vous décontracter complètement en respirant le plus lentement possible entre chaque posture.

Relevez-vous lentement en expirant par la bouche en fin de séance.

La description détaillée de ces techniques se trouve dans les pages suivantes.

osture 1
tirement général

escription

ebout, un pied en appui sur un support (chaise, tabou-t, etc.), bras en élévation dans le prolongement du corps, oigts entrelacés : étirez au maximum les bras vers le haut et avant en expirant par la bouche pendant 10 secondes. Relâ-ez-vous complètement en arrondissant le dos et en inspirant oucement par le nez également pendant 10 secondes. écontractez-vous complètement pendant une dizaine de econdes avant d'inverser la position.

épétition

aites 4 postures alternées.

ariante

ratiquez la même posture en attrapant le poignet gauche avec main droite pendant 8 secondes et en expirant par la ouche. Inspirez par le nez en inversant la position. répéter 4 fois en alternance.

Paumes dirigées vers le haut
Nuque dans le prolongement de la colonne
Dos plat
Jambe tendue dans l'axe de l'articulation
Jambe fléchie

Le conseil du professionnel :

Les épaules doivent être étirées au maximum vers l'arrière.

Question

Peut-on fléchir légèrement la jambe d'appui ?

Réponse

Si cela vous semble vraiment trop difficile de la tendre, vous pouvez la fléchir, mais veillez toutefois à conserver un dos parfaitement plat.

Les six conseils pour prévenir les maladies cardio-vasculaires

• **Avant tout, pratiquez régulièrement une activité physique** (qui fait baisser le mauvais cholestérol et augmenter le bon), adap-tée à votre potentiel énergétique, afin d'activer la circulation du sang et de mieux oxygéner les tissus.
• **Ayez une alimentation équilibrée avec une légère domi-nante pour les fruits, les poissons ou les céréales** (évitez l'apport de graisses saturées que l'on trouve dans les froma-ges ou dans les charcuteries, par exemple).
• **Pensez à vous déstresser juste avant de vous endormir.**
• **Ne fumez pas et modérez vos consommations d'alcool.**
• **Évitez à tout prix la prise de kilos superflus.**
• **Prenez le temps de vous détendre.**

Souvenez-vous
de vos notions d'anatomie
L'astragale est un os :
a) du pied
b) de la jambe
c) de la main

• •

fait partie du tarse postérieur.
Réponse : a) du pied. L'astragale

Séance détaillée du mercredi

Main entourant bien le coude
Tête levée
Main à plat entre les omoplates
Dos droit
Jambes fléchies et écartées
Pieds parallèles

Le conseil
du professionnel :

Dès le départ, placez l'épaule à assouplir le plus possible vers l'arrière.

Question

Peut-on tenir le bras au lieu du coude ?

Réponse

Si on le fait, les muscles étirés ne sont pas les mêmes, cela correspond à un autre exercice qui réalise un étirement plus latéral.

**Souvenez-vous
de vos notions d'anatomie**

Les muscles de la paroi antéro-latérale du thorax comprennent :
a) un plan
b) deux plans
c) trois plans

• •

Réponse : c) trois plans : un plan profond, un plan moyen, un plan superficiel.

Posture 2

Souplesse des épaules

Description

Debout (ou éventuellement assis), placez la main gauche entre les omoplates en inspirant doucement par le nez. Avec l'autre main, appuyez avec progression sur le coude gauche en élévation (afin de faire descendre au maximum la main gauche posée sur le dos) en expirant par la bouche, pendant 12 secondes.
Décontractez-vous complètement pendant une dizaine de secondes, avant d'inverser la position des mains.

Répétition

Faites 4 postures alternées.

Variante

Pratiquez la même posture, mais à l'aide d'un bâton (ou d'un manche à balai) : tenez celui-ci dans votre dos avec une main. Au lieu d'appuyer une main sur le coude, faites-la tirer simplement le bâton vers le bas, entraînant ainsi l'autre main et provoquant un étirement important de l'épaule.
À répéter 4 fois en alternance.

Quels sont les aliments à privilégier en cas d'hypertension artérielle ?

Essentiellement les fruits (tels abricots, bananes, pample-mousses, fraises, etc.) et les légumes frais, mais il convient de ne pas négliger non plus les légumes secs (qui contiennent du potassium, facilitant ainsi l'absorption du sodium). Conseil : pensez à diminuer votre ration de sel.

Séance détaillée du mercredi

Posture 3
Rotation de la taille

Description

Debout : réalisez une rotation maximale du tronc en étirant un bras vers l'arrière et en poussant le bassin devant vous, en expirant par la bouche durant 8 secondes.
Inspirez doucement par le nez en revenant de face.
Décontractez-vous complètement pendant une dizaine de secondes avant d'inverser la position.

Répétition

Faites 4 postures alternées.

Variante

Réalisez la même posture avec les bras fléchis, parallèles au sol. À répéter 4 fois.

Tête levée et tournée — Bras en extension maximale — Poing serré — Main sur l'épaule — Bras fléchi parallèle au sol — Jambes semi-fléchies et écartées — Pieds parallèles

Le conseil du professionnel :

Conservez le bassin bien de face, évitez absolument de le tourner.

Question

Doit-on faire une rétroversion du bassin (poussée vers l'avant) en cas de fragilité lombaire ?

Réponse

Oui ! Cela constitue une sécurité supplémentaire par rapport à la flexion de jambes.

**Souvenez-vous
de vos notions d'anatomie**
Le biceps est :
a) extenseur de l'avant-bras sur le bras
b) extenseur du bras
c) fléchisseur de l'avant-bras sur le bras

. . . .

Réponse : c) fléchisseur de l'avant-bras sur le bras.

Les calories journalières nécessaires suivant l'âge

Enfants :	Adultes :
- Jusqu'à 3 ans : 1350 cal	**Hommes :**
- De 3 à 6 ans : de 1350 à 1850 cal	- Sédentaires : de 2000 à 2600 cal
- Jusqu'à 9 ans : de 1850 à 2200 cal	- Actifs : de 2800 à 3700 cal
Adolescents :	**Femmes :**
Garçons :	- Sédentaires : de 1900 à 2100 cal
- De 10 à 12 ans : 2600 cal	- Actives : de 2300 à 3200 cal
- De 13 à 15 ans : de 2600 à 2900 cal	- Enceintes : de 2000 à 3000 cal
- De 16 à 19 ans : de 2900 à 3200 cal	- Allaitant : de 2500 à 3000 cal
Filles :	
- De 10 à 12 ans : 2300 cal	
- De 13 à 15 ans : de 2300 à 2500 cal	
- De 16 à 19 ans : de 2500 à 2800 cal	

N'oubliez pas que la qualité et la variété des calories ingérées sont aussi importantes que leur nombre.

Séance détaillée du mercredi

Dos plat légèrement penché
Coudes à l'intérieur des genoux
Mains tenant les chevilles
Jambes écartées au maximum

Le conseil du professionnel :

Les talons doivent être le plus près possible du bassin et rester immobiles durant toute la posture.

Question

Pourquoi ne pas mettre les mains sur l'intérieur des genoux directement ?

Réponse

Tout simplement parce qu'il s'agit d'une autre technique étirant d'une façon plus soutenue les adducteurs et nécessitant un exercice d'échauffement préalable.

Souvenez-vous de vos notions d'anatomie
Le péroné est un os :
a) du bras
b) de la jambe
c) de la cuisse

••••••••••••••••••••••••••

Réponse : b) de la jambe.

Posture 4
Souplesse des adducteurs

Description

Assis en tailleur, talons près du bassin, bras à l'intérieur des jambes : écartez les cuisses avec les coudes en exerçant une pression continue de 15 secondes et en expirant par la bouche. Inspirez doucement par le nez en laissant remonter les genoux. Décontractez-vous complètement pendant une dizaine de secondes avant de recommencer.

Répétition

Faites 3 postures.

Variante

Appuyez avec les mains sur un genou pendant 15 secondes, puis sur l'autre.
À répéter 4 fois en alternance.

Si le stretching ou la relaxation ne parviennent pas à vous détendre...

N'hésitez pas à recourir à l'acupuncture. Basée sur le principe du yin (élément femelle) et du yang (élément mâle), cette forme de médecine chinoise repose sur la force vitale qui circule dans le corps. Cette énergie change avec de nombreux facteurs, notamment les saisons, l'environnement, l'alimentation, etc.
La circulation énergétique s'effectue dans le sens des aiguilles d'une montre et s'appuie sur le cycle Tchone (loi de l'engendrement) et sur le cycle Ko (loi de tempérance).
L'acupuncture doit être réalisée par un professionnel expérimenté car la pose erronée d'aiguilles peut engendrer des troubles divers.

Mémoire et stretching...

Entraînez-vous à mémoriser chacune de vos séances de stretching.

Sport et mémoire vont de pair. Pour progresser dans bon nombre de disciplines sportives, il importe de posséder une acuité mémorielle.

Les informations passent par trois stades distincts: l'enregistrement, le stockage et la restitution. C'est au niveau de l'enregistrement que s'effectuent la compréhension et l'analyse du message (issu de la vue, du toucher ou de l'ouïe). Il convient d'entretenir au mieux sa mémoire car elle diminue avec l'âge, surtout si on ne la fait pas travailler. Il importe donc de se concentrer au stade de l'enregistrement le plus tôt possible.

Après l'enregistrement, l'information est stockée.

Le sommeil joue un rôle important au niveau des caractéristiques mnésiques, ainsi que le procédé de répétition des informations.

Enfin, la phase de restitution est parfois plus délicate et on a souvent recours à des détails, images ou souvenirs proches, afin de reconstituer le souvenir.

En résumé: ce sont les processus d'analogie – qui permettent le plus souvent de récupérer l'information – qui périclitent avec l'âge et non le stockage du souvenir lui-même.

La mémoire visuelle à laquelle on a recours se nomme aussi mémoire « iconique ». Cette information est souvent « brute » et éliminée assez rapidement. En correspondance se trouve la mémoire auditive.

Ne laissez donc pas votre mémoire se rouiller: entraînez-vous chaque jour en vous concentrant le plus possible pour maintenir un niveau satisfaisant de mémorisation générale.

On distingue plusieurs formes distinctes de la mémoire :

- la mémoire immédiate ou sensorielle;
- la mémoire à court terme;
- la mémoire à long terme.

Inventez des exercices

Entraînez-vous régulièrement à exercer votre mémoire en vous remémorant par exemple le mobilier des amis que vous avez visités la veille.

De même, exercez-vous régulièrement à reproduire une succession de gestes lorsque vous suivez des cours de danse, d'arts martiaux ou de fitness...

N'hésitez pas non plus à apprendre par cœur une phrase et à vous en souvenir mot pour mot deux jours après.

Un autre exercice consiste à examiner en détails la tenue vestimentaire d'une personne et à décrire cet habillement tout de suite après son départ.

Amusez-vous à inventer d'autres tests...

Programme du jeudi en 15 minutes

Posture 1
Étirement du haut du dos
Faire 4 étirements de 8 secondes chacun.

Posture 2
Souplesse du dos et de la taille
Faire 3 étirements de 15 secondes chacun.

Posture 3
Flexion latérale du buste
Faire 4 étirements alternés de 10 secondes chacun.

Posture 4
Écart latéral des jambes
Faire 4 étirements de 15 secondes chacun.

N'oubliez pas de vous décontracter complètement en respirant le plus lentement possible entre chaque posture.

Relevez-vous lentement en expirant par la bouche en fin de séance.

La description détaillée de ces techniques se trouve dans les pages suivantes.

Posture 1
Étirement du haut du dos

Tête levée — Coudes tirés au maximum vers l'arrière

Dos droit — Bras parallèles au sol

Jambes fléchies

Pieds parallèles

Description

Debout (ou assis) : entrelacez les doigts derrière la nuque et étirez ainsi au maximum les coudes vers l'arrière pendant 8 secondes en expirant lentement par la bouche. Inspirez doucement par le nez en ramenant les bras le long du corps. Décontractez-vous complètement pendant une dizaine de secondes avant de recommencer.

Répétition

Faites 4 postures.

Variante

Placez vos mains légèrement au-dessus de la tête, au lieu de la nuque. À répéter 4 fois.

Le conseil du professionnel :

Ne poussez pas la nuque qu'avec les mains.

Question

Peut-on placer les mains derrière le crâne plutôt que derrière la nuque ?

Réponse

C'est évidemment possible, mais la posture est nettement plus efficace si les bras sont placés le plus bas possible.

Si vous êtes une femme : amusez-vous à... déterminer votre rapport taille-hanches !

Pour vérifier si une femme présente un surplus pondéral marqué, il suffit qu'elle pince la peau au niveau de sa taille. Si le bourrelet excède 1 cm, il convient qu'elle se surveille, voire, s'il dépasse 3 cm, qu'elle envisage un régime sérieux.

En attendant, faites ce petit test :
- **Notez votre tour de taille.**
- **Notez votre tour de hanches (sans tricher !).**
- **Faites l'opération :**

$$\frac{\text{tour de taille}}{\text{tour de hanche}} = \text{rapport taille/hanches}$$

Résultat : le rapport doit être inférieur à 0,8.

Si vraiment il est supérieur à la norme, n'hésitez pas à consulter un praticien car vous pouvez être sujette à certaines maladies cardio-vasculaires, au diabète ou à l'hypertension artérielle.

Souvenez-vous de vos notions d'anatomie

Les côtes flottantes sont :
a) de la 8e à la 10e côte
b) de la 7e à la 10e côte
c) de la 11e à la 12e côte

....

Réponse : c) de la 11e à la 12e côte.

Séance détaillée du jeudi

Dos arrondi
Jambes tendues et peu écartées
Tête relâchée
Bras en extension
Poignets fléchis
Pieds parallèles   Mains sur le sol

Le conseil du professionnel :

Prenez bien le temps de vous détendre complètement.

Question

Est-il préférable de fléchir les jambes et de toucher le sol avec les mains ou de conserver les jambes tendues et de ne pas toucher le sol ?

Réponse

Il vaut mieux ne pas fléchir les jambes.

Souvenez-vous de vos notions d'anatomie

L'atlas fait partie des vertèbres :
a) dorsales
b) lombaires
c) cervicales

• •

Réponse : c) cervicales.

Posture 2
Souplesse du dos et de la taille

Description

Debout, fléchissez lentement au maximum le buste vers l'avant jusqu'à ce que les mains touchent le sol. Maintenez la phase maximale d'extension durant 15 secondes en inspirant par le nez et en expirant par la bouche le plus lentement possible.

Décontractez-vous complètement pendant une douzaine de secondes avant de recommencer.

Répétition

Faites 3 postures.

Variante

Au lieu de placer les mains sur le sol perpendiculairement, vous pouvez les avancer le plus loin possible devant vous.

Si cette posture est trop difficile pour vous, n'hésitez pas à écarter bras et jambes, cela vous aidera.

N'abusez pas de la vitamine D !

Cette vitamine, que l'on trouve dans l'alimentation (lait, foie, œuf, certaines céréales), se nomme « calciférol ». On peut également la consommer sous une forme synthétisée appelée « ergocalciférol ».

On a constaté que cette vitamine a quelques difficultés à être stockée, voire assimilée par certaines personnes âgées.

Il est important de noter qu'une consommation excessive de vitamine D peut entraîner une intoxication.

En revanche, utilisée à bon escient, cette vitamine est parfois prescrite pour enrayer une migraine, un rhume, une conjonctivite ou même un psoriasis.

Ne la consommez donc pas de façon anarchique ; demandez toujours conseil à votre médecin traitant.

Posture 3
Flexion latérale du buste

Description

Debout, jambes écartées (une tendue, une fléchie) : fléchissez latéralement le buste pendant 10 secondes en expirant par la bouche. Inspirez par le nez en redressant le buste. Décontractez-vous complètement pendant une dizaine de secondes avant d'inverser la position.

Répétition

Faites 4 postures alternées.

Variante

Attrapez la cheville, au lieu de laisser glisser la main le long de la jambe, et fléchissez le coude, le buste étant ainsi légèrement penché vers l'avant.
À répéter 4 fois en alternance.

Doigts serrés en extension
Bras en extension
Buste fléchi
Main sur le mollet de la jambe tendue
Pieds parallèles

Le conseil du professionnel :

Veillez à écarter suffisamment les jambes, afin d'optimiser la posture sans pencher le buste vers l'avant.

Question

Peut-on placer les pieds en ouverture ?

Réponse

Oui, mais cela constitue ainsi une variante plus facile que la posture de base.

Souvenez-vous de vos notions d'anatomie
Le tenseur du fascia-lata est :
a) fléchisseur de la jambe
b) extenseur de la jambe
c) adducteur de la jambe

. . . .

la jambe.
précis, fléchisseur accessoire de
Réponse : a) Il est, pour être

Quelques bienfaits de l'activité physique

• Certains praticiens prétendent que l'activité physique, en contrôlant la production d'œstrogènes, pourrait avoir une influence bénéfique sur la prévention de certains cancers, en particulier celui du sein.
• La pratique d'un sport réduit les risques de maladies cardiovasculaires, en renforçant l'appareil cardiaque et en augmentant le nombre de lipoprotéines (combinaison d'une protéine et d'un lipide), ce qui aide à diminuer la tension artérielle.
• Le fonctionnement de l'appareil respiratoire est également amélioré, en raison du contrôle et de l'endurance de la respiration qu'engendre un entraînement bien mené.
• L'effort physique aide le corps au niveau de l'utilisation de l'insuline.
• La pratique d'assouplissement permet également de conserver ou d'améliorer une amplitude articulaire appréciable jusqu'à la fin de sa vie et d'être ainsi autonome le plus longtemps possible.

Séance détaillée du jeudi

Pieds en flexion

Jambes en hyper-extension

Coudes fléchis vers l'extérieur   Tête sur le sol

Le conseil du professionnel :

Écartez les jambes plutôt ramenées vers le buste que vers l'arrière afin d'éviter tous risques de courbure lombaire.

Question

Peut-on relever la tête pour réaliser cet exercice ?

Réponse

Mieux vaut l'éviter ! Votre tête peut toutefois reposer sur un ou plusieurs coussins.

Souvenez-vous de vos notions d'anatomie

Les muscles striés sont des muscles à contraction :
a) rapide
b) lente
c) mixte

• •

Réponse : a) Ils sont dépendants de la volonté et sont innervés par le système nerveux central.

Posture 4
Écart latéral des jambes

Description

Allongé sur le dos, jambes écartées en élévation : écartez-les au maximum avec les mains pendant 15 secondes en inspirant et en expirant doucement par le nez. Les pieds sont en flexion. Décontractez-vous complètement en repliant les jambes sur la poitrine pendant une douzaine de secondes avant de recommencer.

Répétition

Faites 4 postures.

Variante

Pratiquez la même posture avec les pieds en extension. À répéter 4 fois en alternance.

Pour un meilleur confort, votre nuque peut reposer sur un coussin.

Prenez soin de vos muscles !

• Après une longue marche, un footing ou une partie de tennis, n'hésitez pas à détendre vos muscles en les massant régulièrement en douceur, surtout si vous ressentez une zone légèrement endolorie.
• Veillez également à porter des vêtements chauds si vous vous entraînez dehors. Évitez de vous vêtir de pantalons trop ajustés.
• N'oubliez pas non plus qu'un surplus pondéral fatigue non seulement les articulations, mais aussi l'ensemble de la masse musculaire.
• De même, apprenez à connaître votre corps et à écarter tout exercice pouvant accentuer une fragilité ou une déformation articulaire ou musculaire.
Pour cela, n'hésitez pas à consulter un spécialiste de médecine sportive, ainsi qu'un thérapeute qui vous conseilleront au mieux sur les techniques ou types d'entraînement à supprimer en fonction de vos capacités et de votre morphologie.

Parlons graisse...

Graisse, mot haï!

Il ne faut toutefois pas oublier qu'elle est indispensable au bon fonctionnement de l'organisme qui l'utilise pour l'élaboration des membranes cellulaires, la thermo-régulation, le fonctionnement du système nerveux, la reproduction, les cycles menstruels, le transfert des vitamines.

Un minimum de 15 % de l'ensemble de la masse du corps doit être graisseux.

Si vous désirez connaître votre taux de graisse, calculez votre IMC (Indice de Masse Corporelle). Ce test peut être réalisé par un kinésithérapeute, un médecin ou un entraîneur sportif.

Il ne faut pas toujours incriminer les méfaits de l'âge si beaucoup d'individus prennent inexorablement du poids au fur et à mesure qu'ils vieillissent, même si, à 40 ans, on brûle par jour 350 calories en moins qu'à 20 ans. Il convient plutôt d'incriminer la sédentarité et le manque d'activité.

En effet, même si le métabolisme se ralentit, c'est plutôt le manque d'entretien de la masse musculaire et la non-surveillance de l'apport calorique qui engendrent ce relâchement corporel.

Ainsi, les fameux kilos que l'on est censé prendre après 45 ans ne sont pas une fatalité: il suffit de fréquenter les cours de fitness ou de danse, dans les centres de remise en forme, pour voir des quinquagénaires aux corps minces et déliés.

Il importe de ne pas éliminer complètement les graisses (tels le beurre ou l'huile d'olive) de votre alimentation, mais d'en consommer avec modération tout en ayant une activité physique régulière, quelle qu'elle soit.

N'oubliez pas que la graisse est moins dense que le muscle, elle tient donc plus de place que ce dernier, à poids égal.

Surveillez ces kilos

Inutile d'ajouter des charges inutiles à vos articulations qui doivent supporter une contrainte 2,5 à 10 fois supérieure à celle correspondant au poids du corps.
Ainsi, certaines zones articulaires subissent une contrainte de plus de 1 tonne dans le cadre de certaines activités physiques.
N'hésitez donc pas à perdre un peu de masse graisseuse pour prévenir ou soulager un état arthrosique.

Programme du vendredi en 15 minutes

Posture 1

Décontraction et étirement dorsal
Faire 3 étirements de 10 secondes chacun.

Posture 2

Souplesse du buste
Faire 4 étirements alternés de 15 secondes chacun.

Posture 3

Souplesse du buste et des adducteurs
Faire 4 postures alternées de 12 secondes.

Posture 4

Étirement des jambes
Faire 4 postures alternées de 15 secondes.

N'oubliez pas de vous décontracter complètement en respirant le plus lentement possible entre chaque posture.

Relevez-vous lentement en expirant par la bouche en fin de séance.

La description détaillée de ces techniques se trouve dans les pages suivantes.

Posture 1
Décontraction et étirement dorsal

Description

Debout, arrondissez la totalité du dos durant 10 secondes en expirant par la bouche. Ramenez doucement le dos bien à plat en inspirant par le nez pendant 6 secondes.
Décontractez-vous complètement pendant une dizaine de secondes avant de recommencer.

Répétition

Faites 3 postures.

Variante

Pratiquez le même mouvement dorsal en étant à quatre pattes. À répéter 4 fois.

Tête baissée
Jambes fléchies et écartées
Bras fléchis
Coudes dirigés vers le haut
Pieds parallèles

Le conseil du professionnel :

Arrondissez le dos dans son ensemble et non partiellement.

Question

Peut-on tendre les jambes avec cette technique ?

Réponse

Oui, mais si vous êtes néophyte en stretching, il vaut mieux préférer la posture de base avec les jambes fléchies.

L'obésité en chiffres

Le monde industrialisé compte 150 millions de personnes obèses! Aux États-Unis, par exemple, 55 % des adultes souffrent d'un surplus pondéral (soit sur près de 97 millions d'individus, 39 millions d'obèses). L'obésité est due au mode de vie trop sédentaire, à une alimentation trop riche et déséquilibrée, et... au manque de volonté.
Nos voisins sont également concernés par le problème. En Grande-Bretagne, 60 % de la population sont considérés comme trop ronds (dont 20 % d'obèses). En Allemagne, 20 % de la population souffrent d'obésité. En Italie, une personne sur cinq présente des bourrelets disgracieux. Quant à l'Autriche, elle ne compte pour le moment que 11 % d'obèses... ce qui est déjà inquiétant!
Et la France? Elle compte 17 millions d'individus présentant une surcharge pondérale (dont 4,2 millions d'obèses). Ce problème touche toutes les catégories sociales et milieux professionnels. De plus en plus de jeunes sont concernés: en Europe, 1 enfant sur 8 souffre d'excès pondéral. Les raisons sont principalement la disparition des repas familiaux, structurés et ponctuels, le grignotage, les excès de graisse, de sucre et les longues séances sédentaires devant les jeux vidéos.
En France, à 45 ans, les femmes présentent un taux de surplus pondéral plus élevé que celui des hommes!

Souvenez-vous de vos notions d'anatomie
La main est composée de :
a) deux groupes osseux
b) trois groupes osseux
c) quatre groupes osseux

• •

Réponse: b) la main comporte trois groupes osseux: le carpe, le méta-carpe et les phalanges.

Séance détaillée du vendredi

Tête baissée

Jambes tendues

Bras tendus

Pieds parallèles

Posture 2
Souplesse du buste

Description

Debout, jambes écartées, fléchissez au maximum le buste sur la jambe gauche pendant 15 secondes en inspirant par le nez et en expirant par la bouche le plus lentement possible. Décontractez-vous complètement pendant une dizaine de secondes avant d'inverser la position.

Répétition

Faites 4 postures alternées.

Variante

Pratiquez la même posture avec les pieds en ouverture. À répéter 4 fois.

Le conseil du professionnel :

Il ne s'agit pas de positionner le front sur la jambe en ayant le dos rond, mais de mettre le ventre et la poitrine sur le tibia en ayant le dos parfaitement plat.

Question

Doit-on écarter les jambes au maximum ?

Réponse

Si cela vous est possible, oui! Mais veillez à bien conserver les pieds parallèles.

Souvenez-vous de vos notions d'anatomie

Le disque intervertébral est une lentille :
a) fibro-cartilagineuse
b) cartilagineuse
c) fibreuse

• •

Réponse : b) cartilagineuse.

Avec certaines postures, vous ressentez encore plus de brûlures à l'estomac qu'à l'accoutumée. Que faire ?

Avant tout, consultez un médecin, mais sachez cependant qu'il existe actuellement des pansements digestifs qui recouvrent les parois de l'estomac, afin de les protéger de l'acidité. Ils sont en général à base de gomme ou d'argile. Il existe également des antiacides qui ont pour rôle de neutraliser l'acide chlorhydrique produit par l'estomac. Ces derniers contiennent, le plus souvent, du phosphore et des sels minéraux.

Tous ces produits sont-ils vraiment efficaces ? Oui! Sans aucun doute. De plus, ils agissent très rapidement. Toutefois, leur action reste ponctuelle et les troubles reviennent dès l'arrêt de leur utilisation. Les spécialistes recommandent de ne pas les prendre pendant une longue période en raison de certains types de problèmes rénaux qu'ils peuvent occasionner.

Aussi, n'hésitez pas à supprimer certaines postures de stretching si vous pensez qu'elles accentuent indirectement vos problèmes intestinaux, même si elles vous semblent par ailleurs bénéfiques.

Séance détaillée du vendredi

Posture 3
Souplesse du buste et des adducteurs

Description

À genoux, étirez devant vous la jambe droite (bien dans l'axe de son articulation), fléchissez au maximum le corps sur cette jambe pendant 12 secondes en inspirant par le nez et en expirant par la bouche le plus lentement possible.
Décontractez-vous complètement pendant une dizaine de secondes avant d'inverser la position.

Répétition

Faites 4 postures alternées.

Variante

Inversez la position des jambes; fléchissez devant vous la jambe avant et tendez la jambe arrière.
À répéter 4 fois en alternance.

Bras en extension maximale
Tête baissée
Pieds sur le même axe
Tibia en appui sur le sol
Paumes sur le sol de chaque côté de la jambe tendue le plus possible

Le conseil du professionnel:

N'arrondissez surtout pas le dos. C'est le ventre et la poitrine qui doivent toucher la jambe et non pas le front!

Question

La posture devient-elle très différente si on soulève la plante du pied placé en avant, l'appui étant alors sur le talon?

Réponse

Oui, l'étirement n'est plus exactement le même, il devient plus facile! Cette position peut être une variante supplémentaire.

Vive la marche, l'activité physique la plus pratiquée!

En ville, essayez en marchant de penser:
- à vous tenir droit;
- à adopter un rythme de pas régulier;
- à porter des chaussures à talons de 2 à 5 cm de hauteur (pas plus!);
- à équilibrer vos charges dans chaque main (ou à adopter le sac à dos, aux sangles bien adaptées à votre morphologie);
- à regarder devant vous et non pas vers le haut;
- à effectuer un balancement des bras bien rythmé et non pas à laisser une inertie totale du haut du corps.

Il importe de marcher durant une demi-heure au moins, à une allure assez soutenue, pour une remise en condition physique modérée.

Souvenez-vous de vos notions d'anatomie
La colonne vertébrale comporte:
a) 30 à 33 vertèbres
b) 33 à 35 vertèbres
c) 34 à 36 vertèbres

. . . .

Réponse: b) 33 à 35 vertèbres.

Séance détaillée du vendredi

Jambe fléchie

Talon près du fessier

Pied en flexion, talon sur le sol

Paume sur le sol

Tête sur le sol

Jambe tendue entièrement en contact avec le sol

Le conseil du professionnel :

Conservez le dos droit parfaitement immobile en ramenant la jambe.

Question

Pourquoi doit-on placer le talon de la jambe fléchie le plus près possible du bassin?

Réponse

Tout simplement pour éviter tout risque de courbure lombaire.

Souvenez-vous de vos notions d'anatomie

Il existe plusieurs sortes de tissus dans le corps humain. Combien ?
a) deux
b) trois
c) quatre

• •

Réponse : c) trois. Il existe les tissus épithéliaux, les tissus conjonctifs et les tissus spécialisés (osseux, musculaire, nerveux, etc.).

Posture 4
Étirement des jambes

Description

Allongé sur le dos, la jambe gauche fléchie, ramenez avec la main droite la jambe droite tendue sur le côté. Maintenez l'extension maximale pendant 15 secondes en inspirant par le nez et en expirant par la bouche le plus lentement possible. Décontractez-vous complètement pendant une dizaine de secondes avant de changer de côté.

Répétition

Faites 4 postures alternées.

Variante

Décollez du sol le pied de la jambe en extension.
À répéter 4 fois en alternance.

Pour un meilleur confort, votre nuque peut reposer sur un coussin.

Mangez du poisson !

Une alimentation équilibrée de qualité donne une place importante au poisson. En effet, il a été prouvé que la consommation de poisson gras faisait diminuer le taux de mauvais cholestérol, tout en fournissant le bon. La consommation d'acides gras oméga-3 qu'il contient a une action bénéfique sur le fonctionnement cardiaque. Il réduit l'hypertension. Des études américaines récentes ont prouvé que l'absorption régulière de poisson permettait d'empêcher la formation de plaques d'athérome (dégénérescence graisseuse de la tunique interne des artères) et de réduire le risque d'accident vasculaire cérébral (les acides gras polyinsaturés oméga-3 influent bénéfiquement sur la destruction des caillots sanguins provoquant ce traumatisme).
Il ne s'agit pas pour autant de supprimer la viande qui possède également de nombreux éléments indispensables à l'organisme !
Le minimum de poisson à consommer par semaine : 230 g ! À préparer cuit à l'eau, à la vapeur, et surtout pas… frit !

Parlons varices...

Le terme de varice est souvent utilisé à mauvais escient ! Près de 15 % de la population sont touchés par le fléau.

Il s'agit généralement de la dilatation des veines des membres inférieurs. Il faut cependant distinguer les varices superficielles, bien visibles et peu esthétiques (dans les cas extrêmes, du sang coagulé stagne à l'intérieur des veines variqueuses, la peau prend alors un aspect pigmenté parsemé de petits vaisseaux rouges et de zones d'œdèmes), des varices profondes, non visibles, mais qui révèlent leur présence par de petites varicosités. Elles s'accompagnent en général d'impression de crampes, de lourdeur et de tension dans les jambes.

Il peut y avoir des complications, comme la rupture d'une veine entraînant une hémorragie, ou, autre complication, une paraphlébite.

La prévention consiste bien sûr en une bonne hygiène de vie, mais aussi à dormir avec les jambes surélevées.

Les praticiens prescrivent le plus souvent des stimulants de la circulation, des médicaments améliorant l'état des capillaires ou des protecteurs des veines.

Il importe également de pratiquer régulièrement, et de préférence avant de se coucher, des exercices spécifiques pour améliorer la circulation sanguine (tous les exercices avec les jambes en élévation).

À éviter absolument

- le chauffage par le sol
- les expositions au soleil
- les prises de poids
- les vêtements serrés
- les sports violents
- les longues stations debout
- l'abus de tabac
- l'alcool et les graisses cuites.

Plantes conseillées pour l'amélioration de la circulation sanguine

- la vigne rouge
- l'hamamélis
- le marron d'Inde
- le petit houx
- le lierre
- le chêne
- le cassis
- le noyer
- le cyprès
- le citronnier
- la mélisse.

Programme du samedi en 15 minutes

Posture 1
Souplesse et décontraction de la nuque
Faire 4 étirements de 10 secondes chacun.

Posture 2
Étirement des épaules
Faire 4 étirements alternés de 30 secondes chacun.

Posture 3
Souplesse de la taille
Faire 4 étirements alternés de 10 secondes chacun.

Posture 4
Étirement des jambes
Faire 4 postures alternées de 15 secondes chacune.

N'oubliez pas de vous décontracter complètement en respirant le plus lentement possible entre chaque posture.

Relevez-vous lentement en expirant par la bouche en fin de séance.

La description détaillée de ces techniques se trouve dans les pages suivantes.

Posture 1
Souplesse et décontraction de la nuque

Mains sur la partie inférieure de la tête
Doigts entrecroisés
Épaules décontractées
Coudes dirigés vers le bas
Dos légèrement arrondi en souplesse
Jambes fléchies
Pieds parallèles

Description

Debout (ou assis), appuyez avec douceur et progression sur la tête avec les mains pendant 10 secondes en expirant par la bouche. Redressez ensuite doucement la tête en inspirant par le nez. Décontractez-vous complètement une dizaine de secondes avant de recommencer.

Répétition

Faites 4 postures.

Variante

Réalisez la même posture en positionnant les mains plus vers le sommet du crâne.
À répéter 4 fois en alternance.

La forme assurée !

Vous désirez retrouver une condition physique à toute épreuve ? Voici la formule magique :
1. Avoir une alimentation saine et équilibrée.
2. Respecter ses périodes de sommeil.
3. Avoir une activité physique faisant intervenir l'appareil cardio-vasculaire, tel le low-impact, l'aérobic, le jogging, etc., afin de brûler le plus possible de calories et de renforcer le cœur et les poumons (cela permet aussi de réguler le taux de cholestérol, de diminuer le stress, de maintenir une bonne tension artérielle). 1 fois par semaine.
4. Pratiquer la culture physique ou la musculation : indispensable pour améliorer la qualité et l'adaptabilité de la masse musculaire à l'effort. 2 fois par semaine.
5. Faire du stretching : essentiel pour maintenir l'amplitude articulaire et retarder le vieillissement des articulations. 15 minutes par jour.
6. S'offrir un massage de décontraction du corps ou un massage lymphatique, le paradis physique et psychologique pendant une heure ! 1 fois par mois.

Le conseil du professionnel :

Exercez une pression continue et progressive, surtout sans à-coups.

Question

Pourquoi appuie-t-on sur la tête et non sur la nuque directement ?

Réponse

Pour l'obtention d'un étirement efficace au niveau des vertèbres cervicales. En effet, il vaut mieux exercer une pression sur la tête afin d'arrondir au maximum les vertèbres cervicales sans traumatisme.

Souvenez-vous
de vos notions d'anatomie
À quel niveau se trouvent les muscles peauciers ?
a) au niveau du cou
b) au niveau du front
c) au niveau de la face

Réponse : c) au niveau de la face. Ce sont les muscles du nez, des lèvres, du pavillon de l'oreille, de la paupière et des sourcils.

Séance détaillée du samedi

Tête levée
Main droite entre les omoplates
Main gauche la plus haute possible
Dos droit
Jambes fléchies
Pieds parallèles

Question

En cas de difficulté pour croiser les mains, comment peut-on faire ?

Réponse

Aidez-vous avec un bâton ou une sangle tenus dans le dos, dans une position identique, et rapprochez les mains l'une de l'autre progressivement.

**Souvenez-vous
de vos notions d'anatomie**

Les muscles abdominaux sont au
nombre de :
a) deux
b) quatre
c) cinq

• •

·ǝsɹǝʌ

-suɐɹʇ ǝl ʇǝ ǝnbᴉlqo ʇᴉʇǝd ǝl 'ʇᴉoɹp puɐɹƃ ǝl 'ʇuǝu
-ǝɹdɯoɔ slᴉ (q :ǝᴉʇɐnb **:ǝsuodǝԴ**

Posture 2
Étirement des épaules

Description

Debout (ou assis), élevez votre bras droit. Placez la main droite entre les omoplates, le plus bas possible. Remontez ensuite votre avant-bras gauche au milieu du dos afin d'attraper vos doigts. Gardez la posture durant 30 secondes. Inspirez et expirez le plus lentement possible durant toute la réalisation de la technique. Décontractez-vous complètement pendant une douzaine de secondes avant d'inverser la position.

Répétition

Faites 4 postures alternées.

Variante

Placez d'une façon identique votre main droite entre les omoplates. Appuyez ainsi avec votre main gauche sur le coude droit pendant 10 secondes en expirant par la bouche avant d'inverser. À répéter 4 fois en alternance.

Calories à consommer pour une femme

Voici, à titre indicatif, le nombre de calories que vous êtes censée consommer par jour, suivant votre taille et votre poids :

Taille (en m)	Poids (en kg)	Activité sédentaire (en cal)	modérée	moyenne	élevée
1,50	43	1 045	1 235	1 425	1 710
1,52	45	1 100	1 300	1 500	1 800
1,55	48	1 155	1 365	1 575	1 890
1,57	50	1 210	1 430	1 650	1 980
1,60	52	1 265	1 495	1 725	2 070
1,62	55	1 320	1 560	1 800	2 160
1,65	57	1 375	1 625	1 875	2 250
1,67	60	1 430	1 690	1 950	2 340
1,70	62	1 485	1 755	2 025	2 430
1,72	63	1 540	1 840	2 100	2 520
1,75	66	1 595	1 885	2 175	2 610
1,77	68	1 650	1 950	2 250	2 700
1,80	70	1 705	2 015	2 325	2 790
1,82	72	1 760	2 080	2 400	2 880

Séance détaillée du samedi

Posture 3
Souplesse de la taille

Bras élevé et tendu
au maximum
Tête levée, de face
Épaules de face
Taille fléchie au maximum
Main sur la taille
Jambe avant fléchie
Jambe arrière tendue
Pieds parallèles

Description

Debout, jambes écartées, croisez la jambe droite tendue derrière la gauche fléchie, élevez le bras droit. Fléchissez ainsi au maximum la taille vers la gauche, pendant 10 secondes en expirant par la bouche. Inspirez doucement par le nez en redressant le buste.
Décontractez-vous une dizaine de secondes avant d'inverser la position.

Répétition

Faites 4 postures alternées en écartant un peu plus les jambes à chaque fois.

Variante

Réalisez la même posture, mais avec la jambe fléchie à l'arrière. À répéter 4 fois en alternance.

Le conseil du professionnel :

Écartez au maximum les jambes, sans fléchir le buste vers l'avant.

Question

Peut-on s'appuyer sur un support avec la main pour réaliser cette posture?

Réponse

Oui. Cela ne nuit en aucune façon à la technique, mais on n'améliore pas son équilibre.

**Souvenez-vous
de vos notions d'anatomie**
Qu'est-ce que le diaphragme?
a) une séparation musculaire
b) une cloison musculo-tendineuse
c) une cloison ostéo-cartilagineuse

Réponse: b) le diaphragme est une cloison musculo-tendineuse séparant la cavité thoracique de la cavité abdominale.

À ne pas faire avant, pendant et après votre séance de stretching

Avant:
- Ne pas s'hydrater suffisamment.
- S'exercer en ayant fait un repas trop copieux.

Pendant:
- S'exercer dans un état de fatigue intense.
- Travailler dans un contexte trop froid ou humide.
- Ne pas disposer d'un temps suffisant pour s'entraîner et bâcler la séance.
- Ne pas porter de tenue décontractée pour s'entraîner.
- Regarder la télévision en s'entraînant.
- Écouter une musique dynamique en s'exerçant.

Après:
- Courir ou pratiquer un sport dynamique.

Séance détaillée du samedi

Épaules étirées vers l'arrière
Tête levée
Pied fléchi
Dos droit
Jambes tendues
Pied perpendiculaire au support

Le conseil du professionnel :

Conservez les jambes dans l'axe de leur articulation.

Question

Peut-on ouvrir vers l'extérieur le pied de la jambe d'appui ?

Réponse

Oui, mais dans ce cas, l'étirement sollicite d'autres groupes musculaires.

Souvenez-vous de vos notions d'anatomie
Les muscles sterno-cléïdo-hyoïdien et omo-hyoïdien se situent au niveau :
a) du visage
b) des épaules
c) du cou

•••••••••••••••••••••••••
Réponse : c) du cou.

Posture 4
Étirement des jambes

Description

Debout, appuyez une jambe devant vous, sur un support, bien dans l'axe de son articulation. Déplacez ensuite progressivement vers l'arrière la jambe d'appui. Maintenez l'écart maximal 15 secondes en inspirant par le nez et en expirant doucement par la bouche.
Décontractez-vous complètement pendant une vingtaine de secondes avant d'inverser la position.

Répétition

Faites 4 postures alternées.

Variante

Réalisez la même posture en plaçant les pieds parallèles au support (tout en conservant le buste de face).
Cette variante est plus difficile à réaliser que la posture initiale.
À répéter 4 fois en alternance.

Vous souffrez parfois de crises d'asthme pendant un exercice physique ?

Vous n'êtes pas le seul ! Aujourd'hui, une personne sur dix souffre d'asthme.
Les spécialistes conseillent en cas de crise lors d'une activité physique :
- de respirer uniquement par le nez ;
- de pratiquer un échauffement physique bien progressif et assez long ;
- de prendre vos médicaments environ 5 minutes avant de commencer à vous exercer.
La natation est l'un des sports recommandés aux personnes souffrant d'asthme.

Programme d'un mois

Deuxième semaine

Programme du lundi en 15 minutes

Posture 1
Étirement dorsal
Faire 4 postures alternées de 15 secondes chacune.

Posture 2
Flexion latérale du buste
Faire 4 postures alternées de 8 secondes chacune.

Posture 3
Rotation du buste
Faire 4 postures alternées de 10 secondes chacune.

Posture 4
Souplesse des adducteurs
Faire 3 postures de 15 secondes chacune.

N'oubliez pas de vous décontracter complètement en respirant le plus lentement possible entre chaque posture.

Relevez-vous lentement en expirant par la bouche en fin de séance.

La description détaillée de ces techniques se trouve dans les pages suivantes.

Posture 1
Étirement dorsal

Description

Debout, bras en élévation, un pied en appui sur le sol, l'autre sur un support (chaise, meuble, tabouret…) : poussez le bassin vers l'avant pendant 15 secondes en inspirant par le nez et en expirant par la bouche, le plus lentement possible. Décontractez-vous complètement pendant une dizaine de secondes avant d'inverser la position. Replacez-vous ensuite en éloignant un peu plus, à chaque fois, le pied d'appui du support.

Répétition

Faites 4 postures alternées.

Variante

Réalisez la même posture en plaçant le pied d'appui parallèle au support.
À répéter 4 fois en alternance.

Doigts noués — Paumes dirigées vers l'extérieur
Bras en extension maximale — Tête levée — Jambe fléchie
Jambe tendue
Pieds perpendiculaires au support

Le conseil du professionnel :

Ne penchez pas le buste vers l'avant : conservez le dos le plus droit possible.

Question

Peut-on fléchir légèrement la jambe d'appui ?

Réponse

Oui. Toutefois, si on minore la difficulté, on diminue également l'efficacité de la technique.

Souvenez-vous de vos notions d'anatomie

Le groupe musculaire antérieur de la cuisse est formé du quadriceps structuré en quatre parties : le vaste interne, le vaste externe, le droit antérieur et :
a) le crural
b) le droit interne
c) le pactiné

· ·

Réponse : a) le crural.

Calories et matières grasses

Apport calorique par jour	Correspondance en poids des proportions de matières grasses		
	20 %	25 %	30 %
1 500 cal	32 g	42 g	50 g
1 600 cal	35 g	44 g	52 g
1 700 cal	38 g	46 g	54 g
1 800 cal	40 g	48 g	56 g
1 900 cal	42 g	50 g	58 g
2 000 cal	44 g	52 g	60 g
2 100 cal	47 g	54 g	62 g
2 200 cal	49 g	56 g	64 g
2 300 cal	51 g	58 g	66 g
2 400 cal	53 g	60 g	68 g
2 500 cal	55 g	62 g	70 g
2 600 cal	57 g	64 g	72 g

Séance détaillée du lundi

Tête levée

Dos plat

Jambe tendue

Pied en flexion

Talon le plus près
possible du bassin

Le conseil
du professionnel :

Privilégiez l'inclinaison
latérale du corps
à la flexion en avant ;
cette technique vise
un étirement latéral
de la taille et non
de l'avant.

Question

**Le genou de la jambe fléchie
doit-il être étiré le plus possible vers l'arrière ?**

Réponse

**Oui ! Plus il est positionné en
arrière, plus la technique est
efficace.**

**Souvenez-vous
de vos notions d'anatomie**
La longueur du sternum d'un
homme adulte moyen est de :
a) 12 cm
b) 15 cm
c) 20 cm

. . . .

vidus).
varie bien sûr avec la taille des indi-
Réponse : c) 20 cm (dimension qui

Posture 2
Flexion latérale du buste

Description
Assis, jambes écartées au maximum (une jambe repliée, l'autre
tendue), entourez le genou gauche avec la main droite et
attrapez le pied droit (ou le tibia droit) avec la main gauche.
Fléchissez ainsi au maximum le buste sur la jambe droite
pendant 8 secondes en expirant par la bouche. Inspirez doucement par le nez en vous redressant complètement.
Décontractez-vous complètement pendant une dizaine de
secondes avant d'inverser la position.

Répétition
Faites 4 postures alternées.

Variante
Pratiquez la même posture en décollant le talon de la jambe
en extension avec l'aide de la main.
À répéter 4 fois en alternance.

Ah ! Dormir dans un bon lit...

Un être humain passe en moyenne un tiers de sa vie à dormir,
soit environ 220 000 heures. C'est en position couchée que la
colonne retrouve peu à peu sa taille initiale. Tout le corps peut
ainsi se décontracter et les articulations subissent enfin moins
de contraintes. Il est donc indispensable de choisir une literie
ferme et de qualité. Par exemple, dans un lit mou, les muscles
ont beaucoup de mal à se relâcher. On risque de se réveiller
ankylosé et contracté, avec en plus un état de fatigue latente.

Faut-il dormir avec un oreiller ? Les spécialistes conseillent un
petit oreiller respectant bien la lordose cervicale, permettant
une réelle détente des muscles du cou.

Séance détaillée du lundi

Posture 3
Rotation du buste

Tête tournée au maximum — Dos en rotation
Mains sur le mur
Jambes fléchies et écartées
Pieds parallèles perpendiculaires au mur

Description

Debout, tournez le dos à un mur, réalisez une rotation maximale du tronc sur votre gauche (en ayant le bras gauche tendu, la main gauche sur le mur, et le bras droit fléchi, la main droite également sur le mur). Maintenez la posture pendant 10 secondes en expirant lentement par la bouche. Inspirez par le nez en replaçant le buste de face.

Décontractez-vous complètement pendant une dizaine de secondes avant d'inverser la position.

Répétition

Faites 4 postures alternées.

Variante

Réalisez la même technique en vous positionnant à genoux (jambes écartées). À répéter 4 fois en alternance.

Le conseil du professionnel :

Conservez le bassin de face. Évitez à tout prix de désaxer les genoux.

Question

À quelle distance doit-on se placer du mur ?

Réponse

À environ 20 cm.

Quelle est la meilleure position pour dormir ?

C'est la position du fœtus, la tête légèrement surélevée.
En général, la position sur le dos permet une moins bonne décontraction musculaire, notamment au niveau de la nuque (il faut aussi choisir un petit oreiller bien adapté à sa morphologie).
Quant à la position sur le ventre, elle est à bannir, car elle ne permet absolument pas aux muscles lombaires de se reposer et la nuque se retrouve ainsi le plus souvent complètement contractée.

Souvenez-vous de vos notions d'anatomie

Les jumeaux sont des muscles constituant :
a) une partie de la cuisse
b) une partie de la hanche
c) une partie des mollets

· ·

Réponse : c) une partie des mollets.

Séance détaillée du lundi

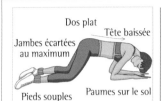

Dos plat
Tête baissée
Jambes écartées au maximum
Pieds souples
Paumes sur le sol
Tibias sur le sol
Avant-bras en appui sur le sol, écartés de la largeur des épaules

Le conseil du professionnel :

Conservez le dos le plus plat possible.

Question

Peut-on être en appui sur les mains au lieu des avant-bras ?

Réponse

Oui ! Mais la technique est un peu moins performante et le risque de cambrure amplifié.

Souvenez-vous de vos notions d'anatomie

Les ligaments vertébraux communs antérieurs et postérieurs (tout au long de la colonne vertébrale) s'insèrent :
a) de l'occipital jusqu'au sacrum et coccyx
b) de l'occipital à la 5e vertèbre lombaire
c) de la 1re cervicale au coccyx

· ·

Réponse : a) de l'occipital jusqu'au sacrum et coccyx.

Posture 4
Souplesse des adducteurs

Description

À genoux, basculez le buste vers l'avant en plaçant les avant-bras sur le sol. Écartez les jambes au maximum. Restez ainsi en écart maximal des adducteurs durant 15 secondes en inspirant par le nez et en expirant par la bouche.
Décontractez-vous complètement une douzaine de secondes avant de recommencer.

Répétition

Faites 3 postures.

Variante

Réalisez la même technique en étirant les bras devant vous. À répéter 3 fois.

Quelles sont les défenses naturelles de l'organisme ?

Le premier système de défense est un système enzymatique qui éradique les radicaux libres. L'enzyme la plus connue est la superoxyde dismutase (SOD). Il importe d'avoir une alimentation équilibrée, car ces enzymes ont besoin d'oligoéléments (zinc, cuivre, manganèse, sélénium) pour être efficaces.
Le second système de défense est constitué par les vitamines E, A et C. Elles se lient aux radicaux libres afin de mieux les neutraliser et génèrent alors des molécules stables. Il est évident que lorsque l'organisme doit faire face à un effort supplémentaire, par exemple dans le cadre de la digestion ou de la production d'un effort physique, il lui est plus difficile de lutter contre les réactions radicalaires.

Voiture et colonne vertébrale...

Il vous est sûrement arrivé de rouler vitre ouverte et... de vous retrouver avec un torticolis !

En effet, un courant d'air peut engendrer ce genre de traumatisme chez un sujet présentant une faiblesse au niveau de la zone cervicale.

Mais ce n'est pas le seul inconvénient.

Les longs trajets en voiture accentuent les cyphoses (courbures à convexité postérieure de la colonne vertébrale dorsale) et les vibrations créent des micro-traumatismes vertébraux, créant ainsi des zones vulnérables. De même, des gestes répétitifs dans l'espace exigu d'une automobile (principalement les rotations) peuvent créer une altération d'équilibre des vertèbres lombaires, sacro-iliaques ou du sacrum.

N'oubliez pas non plus qu'à chaque virage, les muscles, articulations et disques lombaires subissent de nombreuses contraintes ; d'où l'importance de se tenir bien droit, le dos collé au siège.

Il y a aussi la mauvais réalisation gestuelle ; par exemple, le débrayage ne doit mettre en action que les genoux et les chevilles et non pas les hanches.

Veillez également à mieux penser à la façon dont vous entrez ou sortez de votre véhicule : entrez sans rotation du buste et prenez le temps de bien vous installer ; sortez complètement après avoir fait passer vos jambes à l'extérieur.

Important

Si vous faites de longs trajets en voiture, arrêtez-vous toutes les deux heures pour :
- vous reposer ;
- vous hydrater ;
- étirer en douceur toutes les parties du corps.

Décontractez-vous

Afin de décontracter votre nuque, n'hésitez pas à réaliser de lentes circonvolutions de la tête dans un sens, puis dans l'autre. Pensez également à étirer votre tête vers le haut pendant au moins 10 secondes afin de rétablir les espaces intervertébraux. Pratiquez également des rotations des chevilles et des poignets dans un sens puis dans l'autre, afin d'assouplir et de délier les articulations. Et le plus important : faites de lentes poussées avant du bassin afin de diminuer ou de pallier d'éventuelles douleurs lombaires.

Programme du mardi en 15 minutes

Posture 1

Étirement dorsal

Faire 4 postures de 8 secondes chacune.

Posture 2

Souplesse des épaules

Faire 3 postures de 8 secondes chacune.

Posture 3

Flexion latérale de la taille

Faire 4 postures alternées de 10 secondes chacune.

Posture 4

Souplesse des adducteurs

Faire 4 postures de 30 secondes chacune.

N'oubliez pas de vous décontracter complètement en respirant le plus lentement possible entre chaque posture.

Relevez-vous lentement en expirant par la bouche en fin de séance.

La description détaillée de ces techniques se trouve dans les pages suivantes.

Posture 1
Étirement dorsal

Doigts écartés en extension maximale — Bras tendus et écartés de la largeur des épaules — Dos droit — Jambes écartées au maximum — Pieds souples

Description

À genoux, élevez au maximum les bras écartés en expirant le plus lentement possible par la bouche pendant 8 secondes. Abaissez ensuite doucement les bras en inspirant par le nez. Décontractez-vous complètement pendant une dizaine de secondes avant de recommencer.

Répétition

Faites 4 postures.

Variante

Réalisez la même technique en position assise, si possible les jambes en tailleur. À répéter 3 fois.

Le conseil du professionnel :

Évitez de laisser partir le corps vers l'arrière : il doit rester parfaitement droit.

Question

Est-il possible de réaliser cette technique les jambes serrées ?

Réponse

Il est plus facile de réaliser cet exercice avec les jambes écartées afin de mieux conserver son équilibre.

Souvenez-vous de vos notions d'anatomie

Le transverse est un muscle :
a) transversal
b) para-vertébral
c) abdominal

Réponse : c) abdominal. Le transverse est le plus profond des muscles larges.

Lutter contre la paresse intestinale...

Elle peut avoir pour origines certaines maladies digestives, l'absorption de médicaments ou une alimentation déséquilibrée (une insuffisance de fibres par exemple).
Il importe en conséquence d'être vigilant et d'opter pour une activité physique régulière favorisant avant tout le travail abdominal, complétée par des étirements.
L'idéal serait de pratiquer tous les jours des exercices pour les muscles abdominaux, en complément d'une hygiène alimentaire sérieuse, de techniques de relaxation et de stretching, pour éliminer le stress (ce dernier contribuant beaucoup à un dysfonctionnement du transit).

Pour un bon transit :
Consommer des fibres (fruits, salades, légumes, céréales, etc.) à tous les repas. En effet, les fibres accélèrent le processus digestif et augmentent le volume des selles.

Séance détaillée du mardi

Doigts entrelacés
Paumes dirigées vers l'intérieur
Bras en extension maximale
Jambes semi-fléchies et écartées
Tête dirigée vers le bas
Pieds parallèles

Le conseil du professionnel :

Ne fléchissez pas les bras. Ils doivent rester en permanence en extension maximale.

Question

Peut-on tendre les jambes sans craindre des tiraillements au niveau du dos ?

Réponse

Oui ! Toutefois la posture avec les jambes écartées et en extension est moins stable, mais assouplit plus les jambes.

Souvenez-vous de vos notions d'anatomie

Le moyen fessier est :
a) abducteur de la cuisse (éloigne)
b) adducteur de la cuisse (rapproche)
c) extenseur de la cuisse

· ·

se (éloigne).

Réponse : a) abducteur de la cuis-

Posture 2
Souplesse des épaules

Description

Debout, pratiquez une flexion avant du buste en ramenant les bras le plus possible vers l'avant. Maintenez au maximum la flexion du buste et l'inclinaison des bras pendant 8 secondes en expirant lentement par la bouche. Redressez-vous complètement et lentement après chaque technique en inspirant par le nez pendant 8 secondes.

Décontractez-vous complètement pendant une douzaine de secondes avant de recommencer, pour éviter tout risque d'étourdissement.

Répétition

Faites 3 postures.

Variante

Réalisez la même technique avec les jambes serrées.
À répéter 3 fois.

Qu'est-ce que la « kinésiologie appliquée » ?

Créée par le docteur Georges Goodheart, elle est actuellement utilisée par un certain nombre de chiropracteurs. Il s'agit d'une méthode d'analyse pour trouver l'explication d'un symptôme d'un problème physique. On tente ainsi de comprendre d'où provient la difficulté, qu'elle soit issue du système lymphatique, vasculaire, circulatoire, etc.

Cette stratégie de compréhension utilise les interrelations des diverses parties corporelles.

La kinésiologie appliquée se pratique en complément des examens médicaux traditionnels (radiographie, échographie...). Un bon praticien peut ainsi, uniquement par l'observation et la palpation du patient, énoncer un diagnostic tout à fait fiable que l'on peut faire confirmer par un médecin traditionnel. Mais tenter l'expérience de la kinésiologie ne vous engage à rien ! À tester avant de juger !

Posture 3
Flexion latérale de la taille

Description

Assis sur le sol, jambes tendues et écartées, bras en élévation : fléchissez au maximum le buste latéralement durant 10 secondes en expirant par la bouche. Redressez doucement le buste en inspirant par le nez. Décontractez-vous complètement pendant une dizaine de secondes avant de recommencer.

Répétition

Faites 4 postures alternées.

Variante

Réalisez la même technique en nouant les doigts, pouces retournés vers le haut.
À répéter 4 fois en alternance.

Poings serrés
Bras en extension maximale et parallèles
Tête levée dans l'axe de la colonne vertébrale
Taille fléchie latéralement
Pieds en flexion

Le conseil du professionnel :

Ne penchez pas le corps vers l'avant : la flexion du corps doit bien être dans l'axe latéral.

Question

Peut-on décoller un fessier du sol ?

Réponse

Non ! Il faut avoir le bassin entièrement en appui sur le sol.

Qu'est-ce que la « subluxation » ?

Vous avez peut-être entendu ce terme prononcé par un ostéopathe. Il signifie : « moindre que la luxation ». L'idée est qu'une articulation n'est pas luxée, mais qu'elle est en position limite par rapport à ses aptitudes physiologiques et anatomiques au niveau du mouvement. Théorie controversée par les médecins traditionnels !
L'ostéopathe, dans le cas d'un traumatisme articulaire, va essayer de libérer les tensions musculaires néfastes à l'articulation qui la condamnent à une amplitude limitée. Il va ainsi palper, tester et détecter, au moyen de radiographies, l'endroit exact de la tension.
L'ostéopathe s'attache plus à l'observation de l'ensemble de l'individu, à ses positionnements, à sa démarche, à ses réactions musculaires qu'au détail traumatique. Il s'intéresse essentiellement aux causes, sans emploi de décontractants ou autres médications. Comme pour les praticiens de médecine traditionnelle, il s'agit simplement de trouver le bon chiropracteur, ayant le bon diagnostic de la « subluxation » !

Souvenez-vous de vos notions d'anatomie
Quel est le muscle adducteur du bras (qui rapproche le bras du corps) ?
a) le petit pectoral
b) le sous-clavier
c) le grand pectoral

Réponse : c) le grand pectoral.

Séance détaillée du mardi

Mains tenant le support
Tête levée
Bras fléchis
Coudes dirigés vers le haut
Dos droit
Pieds en flexion contre le support
Jambes en extension maximale

Le conseil du professionnel :

Conservez le dos droit durant toute la durée de la technique et évitez toute flexion.

Question

Vaut-il mieux tendre les bras, en les écartant plus ?

Réponse

Non ! On a plus de force en les conservant fléchis, afin de rapprocher au maximum le corps du support.

Souvenez-vous de vos notions d'anatomie

Le deltoïde :

a) abaisse le bras

b) élève le bras

c) éloigne le bras

• •

Réponse : b) élève le bras.

Posture 4

Souplesse des adducteurs

Description

Assis, face à un support (meuble, table, lit, etc.), jambes en écart maximal : rapprochez au maximum le corps du support. Maintenez la posture 30 secondes en inspirant par le nez et en expirant par la bouche le plus lentement possible.

Décontractez-vous complètement pendant 30 secondes également avant de recommencer.

Efforcez-vous d'écarter un peu plus vos jambes à chaque nouvelle position.

Répétition

Faites 4 postures.

Variante

Pratiquez la même technique, mais en surélevant les talons (avec des livres, par exemple).

À répéter 4 fois.

Parlons sciatique...

Tout allait fort bien et puis, un jour, a surgi cette douleur intense sur la zone postérieure d'une jambe. Diagnostic : irritation du nerf sciatique. Il s'agit d'un disque intervertébral écrasé qui exerce une pression sur la racine du nerf sciatique, provoquant ainsi de vives douleurs.

La plupart du temps, des douleurs au niveau des lombaires sont les facteurs précurseurs de la sciatique. Il importe donc d'être très à l'écoute de son corps et d'agir avant d'atteindre un stade d'inflammation avancée. Il ne faut pas oublier que la sciatique est souvent la résultante d'un état défectueux au niveau musculaire et articulaire, ce dernier étant dû à la sédentarité ou à la pratique anarchique d'activités sportives.

Neutralisez votre point de côté!

Tout le monde a déjà souffert de ce genre d'inconvénient en pratiquant une activité sportive. Mais, au fait, d'où vient le point de côté?

Il est dû à un spasme du diaphragme (muscle très large et mince séparant la poitrine de l'abdomen et dont la contraction provoque l'augmentation de la cage thoracique et ensuite l'inspiration) en cas de manque d'oxygénation de celui-ci. Parfois, un effort physique bloque l'apport sanguin vers le diaphragme, ce qui engendre une crampe douloureuse.

Que faire?

Avant tout : cessez l'effort physique!

Pressez ensuite avec les doigts la région où vous souffrez. Ceci fera progressivement disparaître la douleur.

La respiration joue également un rôle important. Il convient d'inspirer suffisamment et d'expirer fortement afin de provoquer un massage interne.

Évitez aussi tout au long de la journée les mauvaises postures susceptibles de provoquer ce désagrément.

Vous pouvez aussi masser doucement en rond votre diaphragme avant de commencer toute activité sportive (une main sur la poitrine et l'autre sur l'abdomen).

Évitez également de faire un repas pantagruélique avant de pratiquer un quelconque effort physique. Il ne faut pas oublier qu'une activité aérobic entraîne un ralentissement de la digestion. Ainsi, il est préférable de ne pas s'alimenter au moins deux heures avant un entraînement.

Une précaution

Pour prévenir le point de côté: respirez par le ventre en prenant de larges inspirations et en expirant bien à fond et surtout... pensez à vous tenir le plus droit possible.

N'oubliez pas non plus de commencer doucement vos entraînements en ne forçant que progressivement. La décontraction et les étirements doivent également faire partie de vos séances afin d'éviter toute contraction musculaire et stress de fatigue.

Il importe également de ne pas porter des vêtements serrés durant l'effort.

Le stretching peut constituer une excellente prévention du point de côté en raison du contrôle respiratoire et musculaire qu'il crée.

Programme du mercredi en 15 minutes

Posture 1
Étirement dorsal
Faire 3 postures de 8 secondes chacune.

Posture 2
Flexion latérale de la taille
Faire 4 postures alternées de 8 secondes chacune.

Posture 3
Souplesse avant du tronc
Faire 4 postures de 8 secondes chacune.

Posture 4
Équilibre et souplesse des jambes
Faire 3 postures de 8 secondes chacune.

N'oubliez pas de vous décontracter complètement en respirant le plus lentement possible entre chaque posture.

Relevez-vous lentement en expirant par la bouche en fin de séance.

La description détaillée de ces techniques se trouve dans les pages suivantes.

Séance détaillée du mercredi

Posture 1
Étirement dorsal

Jambes légèrement écartées

Bras dans l'axe de leurs articulations

Paumes dirigées vers le haut

Talons près du fessier

Dos droit

Tête au repos sur le sol

Description

Allongé sur le dos, jambes repliées, bras dans le prolongement du corps : étirez au maximum les bras pendant 8 secondes en expirant par la bouche. Inspirez doucement par le nez en ramenant les bras le long du corps.
Décontractez-vous complètement pendant une dizaine de secondes avant de recommencer.

Répétition

Faites 3 postures.

Variante

Réalisez la même technique en étirant un bras après l'autre. À répéter 4 fois en alternance.

Vous pouvez, dans cette position, surélever votre nuque et vos reins avec un petit coussin ou une serviette roulée.

Le conseil du professionnel :

Veillez (dans la mesure du possible) à ce que les épaules et les bras touchent entièrement le sol.

Question

Peut-on relever les jambes fléchies vers soi en cas d'extrême fragilité lombaire ?

Réponse

Oui !

Consommez de la viande et des laitages !

En effet, c'est dans la viande et les laitages que l'on trouve la vitamine B12 (cobolamine). Elle est antianémique ou antiasthénique. Bien qu'elle soit indispensable à l'organisme et, entre autres, au système nerveux, seule une faible quantité est nécessaire.
Que se passe-t-il en cas de carence de cette vitamine ?
Il faut savoir que les signes de carence peuvent mettre cinq ans à se manifester. On remarque alors des symptômes d'anémie, certaines altérations cardiaques, cervicales ou nerveuses plus ou moins importantes.
Consommer de la viande blanche trois fois par semaine et deux fois de la viande rouge contribue à l'équilibre alimentaire. Les amateurs de cuisine végétarienne doivent compléter prudemment leur alimentation avec de la vitamine B12 (le plus souvent sous forme d'injection).

Souvenez-vous de vos notions d'anatomie

Un muscle agoniste est un muscle :
a) qui s'oppose à l'action d'un autre muscle
b) qui subit le mouvement
c) qui produit le mouvement

• •

Réponse : c) qui produit le mouvement.

Séance détaillée du mercredi

Bras en extension

Tête levée

Dos droit

Bras fléchi

Pieds en flexion

Jambes tendues au maximum

Le conseil du professionnel :

Tirez au maximum le bras en extension vers l'arrière tout en fléchissant le plus possible l'autre.

Question

Si on n'atteint pas le pied avec la main, peut-on fléchir la jambe ?

Réponse

Non, il vaut mieux attraper la cheville ou le mollet par exemple ; gardez le plus possible les jambes en extension.

Souvenez-vous
de vos notions d'anatomie

Les muscles lisses sont des muscles à :
a) contraction lente
b) contraction rapide
c) contraction mixte

• •

neurovégétatif.
Réponse: a) les muscles lisses sont à contraction lente, comman-dés par le système nerveux

Posture 2
Flexion latérale de la taille

Description

Assis, jambes écartées le plus possible, fléchissez latéralement le buste au maximum sur la jambe gauche en tenant le pied gauche par l'extérieur, avec la main gauche pendant 8 secondes en expirant par la bouche. Redressez doucement et complètement le buste en inspirant par le nez.
Décontractez-vous complètement pendant une dizaine de secondes, avant d'inverser la position.

Répétition

Faites 4 postures alternées.

Variante

Pratiquez la même posture, mais au lieu de tenir le pied par l'extérieur, tenez-le par les orteils (ce qui est plus facile !) en décollant le talon.
À répéter 4 fois en alternance.

N'hésitez pas à prolonger les phases d'extension des techniques de stretching !

En effet, si vous disposez de plus de temps, vous pouvez sans hésitation prolonger les phases d'extension des postures. Certains spécialistes maintiennent les postures durant plus d'une minute. Anderson (un des professionnels à l'origine du stretching) nomme « easy stretch » la première phase et « development stretch » la seconde.
Un fait est certain : le temps de décontraction musculaire varie suivant les individus. Il est donc important d'être à l'écoute de son corps. Toutes les indications de temps dans ce guide ne le sont qu'à titre indicatif pour donner une phase minimale d'extension. De même, les temps d'étirement varient suivant le type et l'importance du groupe musculaire étiré.

En résumé : ne relâchez une posture que si vous avez la sensation d'avoir été jusqu'au bout de l'étirement du groupe musculaire sollicité.

Posture 3
Souplesse avant du tronc

Dos plat, nuque non creusée
Jambes tendues au maximum
Bras devant les tibias
Pieds parallèles
Mains tenant les chevilles (ou les mollets)

Description

Debout, jambes écartées le plus possible, fléchissez au maximum le buste vers l'avant pendant 8 secondes en expirant par la bouche. Redressez-vous complètement et lentement en inspirant par le nez.
Décontractez-vous durant une dizaine de secondes avant de recommencer.

Répétition

Faites 4 postures.

Variante

Placez vos mains sur le sol le plus possible à l'arrière, au lieu de tenir les mollets.
À répéter 4 fois en alternance.

Le conseil du professionnel :

Conservez le dos bien droit en le fléchissant sur les jambes.

Question

Est-ce que cette posture est aussi efficace si on fléchit les jambes ?

Réponse

Elle est différente ! Elle paraît plus facile au départ, mais est aussi performante que la basique si on la pratique avec application, en ayant toujours les pieds parallèles.

Souvenez-vous de vos notions d'anatomie
Le poplité est :
a) un tendon
b) un muscle
c) un cartilage

. . . .

Réponse : b) le poplité est un muscle court, plutôt aplati et de forme triangulaire, localisé derrière l'articulation du genou.

Prenez soin de votre colonne vertébrale !

La colonne vertébrale d'un enfant comporte 33 segments (7 vertèbres cervicales, 12 vertèbres dorsales, 5 vertèbres lombaires, 5 vertèbres sacrées et 4 vertèbres coccygiennes – qui fusionnent plus tard pour donner le sacrum).
À partir de 25 ans, la colonne vertébrale a tendance à se tasser ; ainsi, par exemple, entre 25 et 70 ans, un homme perd 2 ou 3 cm et une femme 5 ou 6 cm. Cette réduction est due principalement à l'altération des disques intervertébraux.
Il ne faut pas oublier non plus que vers 70 ou 75 ans, la plupart des femmes ont perdu un tiers de leur masse osseuse. La masse musculaire, elle aussi, tend à diminuer puisqu'on en perd 0,5 % par an. Ainsi, en cinquante ans, un être humain perd un quart de sa masse musculaire. Une seule prévention peut enrayer partiellement ce phénomène : l'activité physique régulière et bien menée.

Le saviez-vous ? Entre le début et la fin d'une journée, le corps peut perdre jusqu'à 2 cm. Il vaudrait mieux parfois rester couché !

Séance détaillée du mercredi

Tête levée — Mains tenant la pointe des pieds en flexion
Coudes dirigés vers le haut — Dos droit
Pieds fléchis — Jambes en extension maximale

Le conseil du professionnel :

Contractez bien vos muscles abdominaux afin de conserver un équilibre le plus stable possible.

Question

Comment réaliser cette technique d'une façon plus aisée ?

Réponse

Tout simplement, en fléchissant un peu les jambes et en tirant au maximum la tête vers le haut.

Souvenez-vous
de vos notions d'anatomie
L'avant-bras est formé :
a) du cubitus et de l'humérus
b) du radius et du cubitus
c) du radius et de l'humérus

• •

Réponse : b) du radius et du cubitus.

Posture 4
Équilibre et souplesse des jambes

Description

Assis, adossé à un mur, attrapez vos pieds avec vos mains et élevez lentement avec précaution vos jambes jusqu'à leur extension maximale. Écartez-les ainsi le plus possible, durant 8 secondes, en expirant lentement par la bouche. Ramenez ensuite doucement les pieds sur le sol en contrôlant bien les gestes et en inspirant par le nez.
Décontractez-vous complètement pendant une dizaine de secondes avant de recommencer.

Répétition

Faites 3 postures.

Variante

Réalisez la même technique en ramenant au maximum les jambes vers le mur au lieu de les écarter le plus possible.
Si vous êtes très performant, conjuguez les deux difficultés !
À répéter 3 fois.

Connaîtrons-nous un jour le vrai processus du vieillissement ?

L'avenir nous le dira… Aujourd'hui, plus de trois cents explications ont été proposées. Le premier à émettre une théorie fut le biologiste sir Peter Medawar en 1952. Son raisonnement est que la sénescence serait la résultante de l'accumulation passive de gènes nuisibles tardifs de génération en génération.
Georges C. Williams compléta en 1957 le raisonnement de Medawar. Selon lui, il existerait des gènes aux effets multiples ayant une action bénéfique sur l'organisme pendant l'enfance et qui deviendraient nuisibles avec le temps.

À titre d'exemple, voici l'estimation de l'espérance de vie maximale théorique de quelques espèces : la tortue, 200 ans ; le chien, 20-30 ans ; le lapin, 10-13 ans ; l'ours, 40 ans ; l'homme, 122 ans ; le perroquet, 70-100 ans.

Le dernier régime à la mode : s'alimenter suivant son groupe sanguin

Ce type de régime recommande d'acheter le plus possible de produits frais (toutefois, les produits surgelés ne sont pas exclus), sans conservateur, ni colorant, ou autre adjuvant. Il est donc préférable de choisir des produits de l'agriculture biologique (bien qu'ils ne soient pas exempts d'éléments chimiques). Il est également recommandé de bien cuire la viande ou le poisson. Préférez la cuisson à la vapeur avec des feuilles d'aluminium, en autocuiseur, etc.
À titre d'exemples, et entre autres :

Pour les personnes du groupe O :
Les aliments recommandés : viandes maigres, poissons, fruits de mer, œufs, légumes verts et fruits.
Les aliments à bannir : lentilles, choux, pommes de terre, aubergines.

Pour les personnes du groupe A :
Les aliments recommandés : poissons, escargots, lentilles, brocolis, carottes, épinards, ananas, figues, citrons.
Les aliments à bannir : lait entier, beurre, pommes de terre, pois chiches, choux blancs, maïs, melons, mangues, bananes, oranges.

Pour les personnes du groupe B :
Les aliments recommandés : lapin, mouton, agneau, produits laitiers, riz, légumes verts en feuilles, prunes, raisins, ananas.
Les aliments à bannir : poulet, crustacés, crabes, moules, escargots, fromages durs, cacahuètes, sarrasin, maïs, seigle, blé.

Pour les personnes du groupe AB :
Les aliments recommandés : poissons comme la sole, flétan, produits laitiers, œufs, lentilles, certains légumes verts, ananas, ail.
Les aliments à bannir : crustacés, bœuf, poulet, noisettes, graines de sésame, artichauts, avocats, poivrons, bananes, mangues, rhubarbe, oranges.

Conseil
Il est recommandé d'aborder le régime où l'on s'alimente suivant son groupe sanguin d'une façon progressive et d'apprendre à bien connaître les bonnes associations alimentaires et les plats à supprimer.

Important
**Utilisez de l'huile d'olive, notamment pour les salades. Évitez au maximum les graisses cuites et méfiez-vous des préparations en sauce toutes prêtes qui ne sont pas aussi exemptes de calories que les publicités le prétendent.
Le beurre allégé et la margarine légère ne présentent pas un intérêt calorique suffisant justifiant leur achat. En effet, ils présentent peu de différences.**

Programme du jeudi en 15 minutes

Posture 1
Étirement du haut du dos
Faire 4 postures de 12 secondes chacune.

Posture 2
Rotation de la taille
Faire 4 postures alternées de 8 secondes chacune.

Posture 3
Flexion latérale du buste
Faire 4 postures alternées de 15 secondes chacune.

Posture 4
Étirement de la cuisse
Faire 4 postures alternées de 8 secondes chacune.

N'oubliez pas de vous décontracter complètement en respirant le plus lentement possible entre chaque posture.

Relevez-vous lentement en expirant par la bouche en fin de séance.

La description détaillée de ces techniques se trouve dans les pages suivantes.

Séance détaillée du jeudi

Posture 1
Étirement du haut du dos

Description

Allongé sur le ventre, étirez-vous au maximum, les jambes serrées et les bras dans le prolongement du corps, pendant 12 secondes en inspirant par le nez et en expirant par la bouche le plus lentement possible. Décontractez-vous complètement pendant une dizaine de secondes avant de recommencer.

Répétition

Faites 4 postures.

Variante

Réalisez la même technique avec les paumes tournées vers vous. À répéter 4 fois.

Placez un petit coussin ou une serviette roulée sous le ventre pour éviter toute courbure lombaire.

Tête dirigée vers le sol
Paumes retournées vers l'extérieur
Doigts entrelacés
Pieds en extension
Bras en hyper-extension et parallèles
Jambes en extension maximale

Le conseil du professionnel :

Ne décollez du sol ni les pieds, ni les mains pendant l'extension.

Question

Est-ce la même chose si on réalise cette posture sur le dos?

Réponse

C'est aussi un étirement dorsal, mais les muscles sont étirés différemment et les sensations perçues ne sont pas les mêmes.

Souvenez-vous de vos notions d'anatomie
Les vraies côtes sont :
a) les sept premières
b) les huit premières
c) les six premières

· ·

Réponse: a) les vraies côtes sont les sept premières unies au sternum par les cartilages costaux.

Sport et arthrose

Le sport modéré est tout à fait conseillé aux sujets souffrant d'arthrose. Le stretching et le renforcement musculaire sont particulièrement recommandés.
L'atrophie guette les personnes sédentaires ; il importe de leur faire prendre conscience des risques de l'inactivité. L'activité physique aide entre autres à la circulation du liquide synovial dans les articulations (ce dernier ayant un rôle lubrifiant et nourricier au niveau des cartilages). En renforçant les muscles et les tendons, elle permet aussi de soulager les pressions qui s'exercent sur les articulations répartissant ainsi les charges d'une façon plus équitable.
Important : il est essentiel de ne pas exercer toujours les articulations sous le même angle et donc de varier les exercices et leur amplitude de réalisation.

Séance détaillée du jeudi

Bras tendus

Poings serrés dirigés vers le bas

Jambes fléchies

Pieds parallèles

Le conseil du professionnel :

Conservez le bassin de face en permanence, tout en ayant les bras étirés le plus possible vers l'arrière durant toute la rotation.

Question

Peut-on garder la tête de face durant la rotation ?

Réponse

Cela est tout à fait possible si vous ne souffrez pas de fragilité cervicale ! Mais il est plus logique de la tourner dans le sens de la rotation.

―――――――――

Souvenez-vous
de vos notions d'anatomie
Le poignet et la main comportent :
a) 35 os
b) 25 os
c) 29 os

· ·

Réponse : c) 29 os (le radius et le cubitus étant compris).

Posture 2
Rotation de la taille

Description

Debout, réalisez une rotation du tronc en conservant les bras en croix en permanence. Maintenez la posture d'extension maximale durant 8 secondes en expirant lentement par la bouche. Revenez de face en inspirant doucement par le nez avant de recommencer de l'autre côté.
Décontractez-vous complètement pendant une dizaine de secondes avant d'inverser la position.

Répétition

Faites 4 postures alternées.

Variante

Pratiquez la même posture en position assise en tailleur.
À répéter 4 fois en alternance.

―――――――――

Vive le sport après 50 ans !

Bien que 25 % seulement des seniors pratiquent une activité sportive, le sport leur est pourtant recommandé. Il est prouvé depuis longtemps que les sportifs vieillissent en meilleure forme. Il n'est, bien sûr, pas souhaitable de faire du sport en excès : trois heures par semaine semblent déjà une bonne moyenne. Il faut savoir également qu'il n'y a aucune contre-indication à commencer le sport tardivement, si l'entraînement suivi est bien mené et avec une progression intelligente.
Avec l'entraînement, un organisme actif améliore sa « VO2 MAX », c'est-à-dire sa consommation maximale d'oxygène durant une minute pendant un effort. À l'inverse, un individu sédentaire constate une diminution de sa VO2 MAX d'environ 10 % pendant quelques années à partir de 30 ans. La pratique de l'activité physique d'une façon régulière engendre aussi une baisse de la tension artérielle, une amélioration de la souplesse des vaisseaux, une perte graisseuse et une baisse de la fréquence cardiaque.
Vous avez donc toutes les raisons pour continuer ou commencer une activité sportive adaptée à vos goûts et capacités !

Posture 3
Flexion latérale du buste

Bras en extension maximale
Tête levée
Dos plat
Jambes tendues
Doigts serrés en extension
Pieds en flexion

Description

Assis, jambes écartées au maximum, fléchissez le plus possible le buste au-dessus d'une jambe pendant 15 secondes, en inspirant par le nez et en expirant par la bouche le plus lentement possible.
Décontractez-vous complètement pendant une dizaine de secondes avant d'inverser la position.

Répétition

Faites 4 postures alternées.

Variante

Réalisez la même technique en ouvrant les doigts au maximum, paumes tournées vers le haut.
À réaliser 4 fois en alternance.

Le conseil du professionnel :

Ne décollez pas le fessier opposé pendant la durée de l'étirement ; le bassin doit rester entièrement en appui sur le sol.

Question

Est-il normal de ressentir l'étirement également au niveau des muscles adducteurs (intérieur des cuisses) en plus de ceux du dos ?

Réponse

Oui, cela signifie que vous réalisez très bien la posture et que vos jambes sont suffisamment écartées.

Souvenez-vous de vos notions d'anatomie

Quels sont les muscles extenseurs du genou ?

a) le droit antérieur
b) le vaste interne
c) le crural

• •

Réponse : tous (le droit antérieur fléchit aussi la hanche).

Qu'est-ce qu'un claquage ?

Il consiste en la rupture de fibres musculaires, accompagnée d'une légère hémorragie locale. Il est en général provoqué par un geste brutal sur une masse musculaire insuffisamment échauffée ou en état de fatigue marqué. Il est plus couramment observé dans les sports comme le tennis, la boxe, l'aérobic, l'athlétisme…

La douleur est généralement plutôt intense et peut s'accompagner d'un œdème et d'une ecchymose au niveau de la zone douloureuse.

Il faut cesser immédiatement tout effort et consulter un médecin qui prescrit le plus souvent des compresses froides, des médicaments veinotoniques et des bandages de contention. Il faut plusieurs semaines de repos avant de pouvoir retrouver sa performance musculaire. Il importe d'attendre de ne plus avoir mal du tout pour se remettre à une activité sportive !

Séance détaillée du jeudi

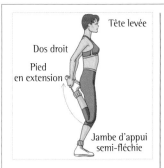

Tête levée

Dos droit

Pied en extension

Jambe d'appui semi-fléchie

Question

En cas de difficulté pour attraper son pied, comment faire ?

Réponse

Dans la même position, plaquez votre coup de pied contre un mur derrière vous et… appuyez en douceur. Cela vous assouplira efficacement.

**Souvenez-vous
de vos notions d'anatomie**
Le muscle couturier s'insère :
a) de l'os iliaque au tibia
b) de l'os iliaque au fémur
c) du fémur au tibia

• •

Réponse : a) Le muscle couturier s'insère exactement de l'échancrure inter-épineuse de l'os iliaque jusqu'à la face antéro-interne du tibia.

Posture 4
Étirement de la cuisse

Description

Debout, pressez fortement votre talon contre la fesse avec les mains pendant 8 secondes en expirant par la bouche. Inspirez doucement par le nez en reposant la jambe sur le sol. Décontractez-vous complètement une dizaine de secondes avant d'inverser la position.

Répétition

Faites 4 postures alternées.

Variante

Pratiquez la même posture allongé sur le ventre (avec un coussin sous la taille pour éviter toute cambrure lombaire). À réaliser 4 fois en alternance.

Si vous manquez d'équilibre, vous pouvez appuyer une main sur un support éventuel (meuble, table, chaise…).

En quoi consiste une infiltration ?

Il s'agit d'injecter une composition souvent à base de cortisone dans ou autour de la cavité articulaire. Elle a essentiellement pour rôle de faire diminuer l'inflammation et donc la douleur.

Elle peut se faire dans le genou, le coude, la main, l'épaule, la hanche ou la colonne vertébrale (pour ces derniers, un contrôle radiologique peut s'avérer nécessaire).

On conseille en général de mettre l'articulation au repos durant les deux jours qui suivent l'infiltration.

La plupart des médecins déconseillent d'avoir trop souvent recours aux infiltrations. En règle générale, le spécialiste ne prescrit pas plus de trois infiltrations par an pour une articulation.

Vous et la vitamine C (acide ascorbique)

C'est une des vitamines du système immunitaire qui ne peut malheureusement pas être stockée. Or elle est indispensable au bon fonctionnement de l'organisme. C'est pourquoi il faut à tout prix en éviter la carence qui se traduit par une fatigue (liée le plus souvent à une déficience immunitaire) et parfois à des troubles sanguins ou des problèmes dermatologiques.

On trouve la vitamine C dans les fruits, les légumes crus ou légèrement cuits, mais également sous forme d'ampoules, de gélules, poudre ou comprimés.

La vitamine C stimule l'activité immunitaire, joue un rôle actif dans la respiration cellulaire. Elle est souvent prescrite pour les états fébriles, dépressifs et pour certains effets allergènes (substances responsables d'une réaction de type allergique).

Conseil de consommation : 1 200 mg par jour au maximum.

Veillez à :

- ne pas trop cuire les aliments (la cuisson détruit la vitamine C) et ne pas trop les exposer à l'air ;
- ne pas fumer, le tabac accroît en effet les besoins en vitamine C ;
- consommer le moins possible d'alcool (qui crée lui aussi une nécessité accrue de vitamine C) ;
- l'associer avec du calcium et du magnésium pour un effet stimulant renforcé.

Programme du vendredi en 15 minutes

Posture 1
Étirement dorsal
Faire 3 postures de 12 secondes.

Posture 2
Rotation de la taille
Faire 4 postures alternées de 10 secondes chacune.

Posture 3
Flexion latérale de la taille
Faire 4 postures alternées de 12 secondes chacune.

Posture 4
Souplesse latérale de la jambe
Faire 4 postures alternées de 15 secondes.

N'oubliez pas de vous décontracter complètement en respirant le plus lentement possible entre chaque posture.

Relevez-vous lentement en expirant par la bouche en fin de séance.

La description détaillée de ces techniques se trouve dans les pages suivantes.

Séance détaillée du vendredi

Posture 1
Étirement dorsal

Bras écartés de la largeur des épaules

Jambes tendues

Tête dirigée vers le sol

Paumes sur le sol

Pieds parallèles

Description

Debout, jambes écartées au maximum, basculez le buste vers l'avant. Prenez appui sur le sol avec vos mains. Étirez ainsi au maximum vos bras devant vous pendant 12 secondes en inspirant par le nez et en expirant par la bouche le plus lentement possible.

Décontractez-vous complètement une dizaine de secondes avant de recommencer.

Répétition

Faites 3 postures.

Variante

Réalisez la même technique avec les pieds en ouverture. À répéter 3 fois.

Le saviez-vous ?
En matière d'homéopathie...

Tout pharmacien peut réaliser des remèdes homéopathiques. En France toutefois, deux laboratoires se partagent le marché et sont absolument dignes de confiance quant à la qualité de leur production. Quant aux remèdes fabriqués par les pharmaciens, ils sont eux aussi tout aussi fiables.

Il faut également savoir que le praticien homéopathe est avant tout médecin et qu'il peut également prescrire des médicaments classiques en complément des remèdes homéopathiques.

L'homéopathie ne traite pas tous les maux ; par exemple, il n'existe pas de vaccins homéopathiques en prévention de la grippe. L'homéopathie n'utilise que des produits qui, en quelque sorte, renforcent le système immunitaire de l'organisme.

Deux points importants :

- un remède homéopathique n'est jamais néfaste en ce qui concerne une vaccination ;

- les effets secondaires d'une vaccination peuvent en revanche être atténués par un traitement homéopathique.

Le conseil du professionnel :

Ne vous contentez pas d'étirer les bras devant vous ; pensez aussi à placer le bassin le plus possible vers l'arrière.

Question

Peut-on placer les avant-bras sur le sol ?

Réponse

Si vous le faites, cela ne constitue plus la même technique. Cela devient alors un assouplissement des adducteurs et non un étirement dorsal.

Souvenez-vous de vos notions d'anatomie

Quel est le muscle de l'avant-bras qui fléchit le poignet et le coude ?
a) le deuxième radial
b) le grand palmaire
c) le cubital postérieur

• •

Réponse : b) le grand palmaire.

Séance détaillée du vendredi

Tête tournée

Dos en rotation
perpendiculaire
au sol

Pieds en flexion

Mains sur le sol

Jambes tendues et serrées

Le conseil
du professionnel :

Ne laissez pas aller
le corps vers l'arrière.

Question

Peut-on réaliser cette technique avec les jambes fléchies ?

Réponse

Oui ! À condition de toujours conserver le bassin de face. Toutefois, l'efficacité de la technique est de ce fait amoindrie.

Souvenez-vous
de vos notions d'anatomie

Le muscle soléaire des mollets est mis en action lors :
a) d'une extension de la cheville
b) d'une flexion de la cheville
c) d'une rotation de la cheville

● ●

Réponse : b) Le muscle soléaire agit lors de la flexion plantaire de la cheville.

Posture 2
Rotation de la taille

Description

Assis, jambes devant vous, pratiquez une rotation à gauche du tronc en essayant de mettre les mains sur le sol, le plus loin possible dans le dos vers la droite. Conservez la posture en amplitude maximale pendant 10 secondes en expirant doucement par la bouche. Inspirez lentement par le nez en replaçant le buste de face.

Décontractez-vous complètement pendant une dizaine de secondes avant d'inverser la position.

Répétition

Faites 4 postures alternées.

Variante

Pratiquez la même posture avec les jambes écartées au maximum.

À répéter 4 fois en alternance.

Le tabac : à éviter absolument !

Certes, le tabac a un effet coupe-faim ! La cigarette perturbe l'assimilation des aliments, ainsi que les facultés gustatives. Les fumeurs apprécient moins les plats que les non-fumeurs. Le fait d'arrêter le tabac peut entraîner une prise de poids en raison d'un besoin de compensation par la nourriture.

Il est nécessaire d'augmenter son apport en vitamine C, si l'on dépasse cinq cigarettes par jour.

N'oubliez pas que la consommation de tabac provoque plus de 30 % des cancers (larynx, bronches, langue, bouche, poumons, pancréas, vessie, estomac, etc.). Le tabac peut également favoriser l'apparition d'infarctus du myocarde ou les aggraver, ainsi que des accidents vasculaires cérébraux, l'artérite, des maladies pulmonaires (comme la bronchite chronique, par exemple).

Si vous êtes fumeur, entraînez-vous à boire régulièrement de l'eau afin de réduire peu à peu votre consommation de cigarettes.

Séance détaillée du vendredi

Posture 3
Flexion latérale de la taille

Bras levé en extension maximale
Tête penchée
Tronc fléchi latéralement
Jambes légèrement écartées
Tibias sur le sol

Description

À genoux, un bras levé en extension, fléchissez latéralement au maximum le tronc sur un côté (en ayant éloigné le plus possible le bras d'appui près du corps), pendant 12 secondes en inspirant par le nez et en expirant par la bouche très lentement. Décontractez-vous pendant une dizaine de secondes avant d'inverser la position.

Répétition

Faites 4 postures alternées.

Variante

Pratiquez la même posture en ayant les genoux écartés le plus possible. À répéter 4 fois.

Le conseil du professionnel :

Placez l'épaule du bras en élévation le plus possible vers l'arrière.

Question

Peut-on décoller un peu le genou opposé au bras d'appui ?

Réponse

Absolument pas ! Il importe de conserver le genou en permanence sur le sol. Il ne faut surtout pas le décoller afin de mieux fléchir le buste !

Souvenez-vous de vos notions d'anatomie
Le biceps crural produit :
a) la flexion du bras
b) la rotation externe et l'extension de la hanche et du genou
c) l'extension de la hanche, la flexion du genou, la rotation externe de la hanche et du genou

• •

Réponse : c) l'extension de la hanche...

Un mot sur les produits bio

Ils comportent essentiellement des aliments issus de la culture biologique (le label AB – agriculture biologique – officialise le produit en tant que tel). Dans ce cas, on utilise, pour la fertilisation des sols, des produits organiques exempts d'éléments chimiques (engrais, pesticides, etc.).

Il faut savoir que certains produits, vendus comme bio, ne le sont qu'à 70 %. Quant aux produits contenant moins de 70 % d'éléments bio, les producteurs ne peuvent citer que les ingrédients provenant de l'agriculture biologique.

Important : les produits issus de l'agriculture ou de l'élevage biologiques sont contrôlés par les organismes suivants : Ecocert, Ascert, Qualité France.

Séance détaillée du vendredi

Pied en flexion
Tête levée
Jambe en élévation et en extension maximale
Dos droit
Jambe d'appui semi-fléchie
Pied parallèle au support d'appui

Le conseil
du professionnel :

Conservez le dos
le plus droit possible
en ramenant la jambe.

Question

**Doit-on ramener la jambe
uniquement latéralement ou
également vers l'arrière?**

Réponse

**On doit la ramener le plus près
possible de la tête et le plus
loin possible vers l'arrière.**

Posture 4
Souplesse latérale de la jambe

Description

Debout, une main en appui sur un support, ramenez une jambe latéralement le plus près possible de la tête en inspirant par le nez et en expirant par la bouche le plus lentement possible durant 15 secondes.
Décontractez-vous complètement pendant une vingtaine de secondes avant d'inverser la position.

Répétition

Faites 4 postures alternées.

Variante

Réalisez la même posture en fléchissant le plus possible la jambe d'appui. À répéter 4 fois.

**Souvenez-vous
de vos notions d'anatomie**
Le grand rond est un muscle :
a) de l'épaule
b) du dos
c) du thorax

• •

Réponse : a) le grand rond est un muscle de l'épaule.

Quelques exemples de consommation en calories/heure

**Travail à l'ordinateur: 0 à 30 cal
Course à 12 km/heure: 750 cal
Tennis: 600 cal
Musculation: 450 cal
Marche rapide: 300 cal
Ski alpin: 300 cal
Natation: 450 cal
Aérobic: 800 cal
Football: 700 cal
Stretching: 150 cal
Rapports sexuels: 250 cal**

Alimentation et âge

Plus l'on vieillit et plus il importe de faire attention à son alimentation, la quantité de nutriments restant inchangée et les dépenses physiques diminuant.

Des déficiences, notamment en calcium, peuvent apparaître après 50 ans chez les femmes et après 65 ans chez les hommes.

Les produits lactés doivent être régulièrement consommés dès la soixantaine.

Il est également essentiel de prendre de la vitamine D (sur ordonnance) afin de fixer le calcium si l'on ne consomme pas de beurre ou de poissons gras.

Il importe aussi de ne pas manquer de fer et de varier au maximum son alimentation en consommant de la viande, du poisson, des œufs… tous les jours.

L'huile (d'olive, de soja, d'arachide ou de noisette) ne doit pas être supprimée du régime alimentaire.

Les fruits et légumes frais doivent être consommés quotidiennement, surtout pour éviter toute carence en vitamine C.

Il convient également de mieux surveiller son apport calorique quotidien afin qu'il corresponde bien aux dépenses en raison du ralentissement des fonctions métaboliques et du stockage des graisses plus important qu'à 20 ans. La consultation d'un diététicien ou d'un nutritionniste est fortement conseillé après 50 ans.

Nouveautés

- **Les fabricants ont mis sur le marché des produits enrichis en vitamines ou en sélénium, adaptés aux plus de 55 ans : jus de fruits, yogourts, potages, biscuits, poisson en boîte, etc. Sachez toutefois qu'une alimentation bien adaptée à vos besoins, conseillée par un diététicien ou un médecin nutritionniste, peut se passer de ces produits spécifiques souvent onéreux.**
- **Les Cel-O-Fats (matières grasses sans calorie) sont encore à l'étude et sont en quelque sorte des substituts de matières grasses incorporés à des aliments. Ils devraient être encore plus performants que les produits allégés (qui sont de 30 à 45 % moins caloriques que les produits traditionnels).**

Programme du samedi en 15 minutes

Posture 1
Étirement général du corps
Faire 4 postures alternées de 8 secondes chacune.

Posture 2
Flexion latérale du buste
Faire 4 postures alternées de 10 secondes chacune.

Posture 3
Souplesse des jambes et équilibre
Faire 4 postures alternées de 12 secondes chacune.

Posture 4
Étirement des adducteurs
Faire 3 postures de 30 secondes chacune.

N'oubliez pas de vous décontracter complètement en respirant le plus lentement possible entre chaque posture.

Relevez-vous lentement en expirant par la bouche en fin de séance.

La description détaillée de ces techniques se trouve dans les pages suivantes.

Séance détaillée du samedi

Posture 1
Étirement général du corps

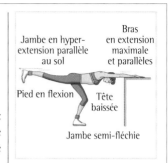

Jambe en hyper-
extension parallèle
au sol

Bras
en extension
maximale
et parallèles

Pied en flexion

Tête
baissée

Jambe semi-fléchie

Description

Debout, penchez le corps vers l'avant, en prenant appui avec les mains sur un support (meuble, table, etc.). Élevez ainsi une jambe tendue vers l'arrière. Étirez au maximum cette jambe pendant 8 secondes en expirant doucement par la bouche. Inspirez par le nez en reposant la jambe sur le sol. Décontractez-vous complètement pendant une dizaine de secondes avant de changer de jambe.

Répétition

Faites 4 postures alternées.

Variante

Pratiquez la même technique en prenant appui sur le support avec seulement la main opposée à la jambe élévatrice. À répéter 4 fois en alternance.

Le conseil
du professionnel :

Ne cambrez surtout
pas la région
lombaire, conservez
le dos le plus plat
possible.

Question

Peut-on réaliser cette technique avec la jambe d'appui tendue?

Réponse

Oui! Mais il importe de bien positionner le dos afin d'éviter toute cambrure lombaire.

**Souvenez-vous
de vos notions d'anatomie**

La cinésiologie est:
a) l'étude des muscles
b) l'étude générale du corps humain
c) la science du mouvement humain

• •

Réponse: la science du mouvement humain.

Sport et ménopause

Il arrive qu'à la ménopause, la diminution d'œstrogènes ait des conséquences sur les masses musculaire et graisseuse de l'organisme. Certaines femmes peuvent perdre jusqu'à 3 kg de masse maigre (muscles, os…) et acquérir paradoxalement un surplus de masse graisseuse.

Mais, rassurez-vous, cela n'est pas un phénomène inéluctable: une alimentation équilibrée, ainsi qu'une dépense physique régulière permettent de maintenir une silhouette et une forme correctes.

Il est cependant vrai qu'après la cinquantaine, les efforts à fournir sont plus importants qu'à 30 ans, mais ils sont vraiment le garant d'un résultat. N'oubliez pas non plus que plus votre corps comporte de masse musculaire, plus il brûle de calories. Trois entraînements physiques d'une heure par semaine pour une quinquagénaire semblent une prise en main sérieuse pour garder sa silhouette et son poids de 30 ans!

Séance détaillée du samedi

Bras en extension maximale
Tête de face
Paume sur le support
Jambes tendues et serrées
Pieds serrés et parallèles au support

Le conseil du professionnel :

Pensez à étirer la tête vers le haut en permanence.

Question

Peut-on fléchir le bras d'appui ?

Réponse

Non ! Il importe de le conserver le plus tendu possible, afin d'optimiser la posture.

Souvenez-vous de vos notions d'anatomie

Le muscle trapèze entre entre autres en action lorsque :
a) l'on soulève des poids avec les bras
b) l'on repousse un objet lourd
c) l'on tire un objet lourd

· ·

avec les bras.
Réponse : a) l'on soulève des poids

Posture 2
Flexion latérale du buste

Description

Debout, penchez le corps sur le côté en prenant appui avec la main sur un support (meuble, table…). Éloignez progressivement cette main du corps en la laissant glisser sur le support et en inspirant par le nez, puis en expirant par la bouche le plus lentement possible.

Décontractez-vous complètement pendant une dizaine de secondes avant d'inverser la position.

Répétition

Faites 4 postures alternées.

Variante

Réalisez la même technique avec les jambes écartées.
À répéter 4 fois en alternance.

Perdez un peu de poids pour être en meilleure santé !

Si vous faites partie des personnes ayant un surplus pondéral, n'hésitez pas à perdre quelques kilos afin d'améliorer votre état de santé.

D'après des spécialistes américains, une diminution de poids peut atténuer les risques cardio-vasculaires et réduire, par exemple, des taux trop élevés de lipoprotéines de haute densité et de triglycérides. L'exercice peut aussi augmenter le taux de ces lipoprotéines. La perte de kilos peut également faire diminuer la tension artérielle.

De même, il est conseillé aux personnes souffrant de diabète de surveiller leur poids afin d'améliorer la sécrétion d'insuline par les cellules. Une étude sérieuse sur des femmes ayant perdu 4 kilos a mis en exergue le fait qu'une réduction de moitié du risque de diabète a été constatée chez ces dernières.

Quant à l'arthrite (inflammation d'une articulation), sa présence est due, entre autres, aux kilos en excès. Notamment, l'arthrite au niveau des genoux est d'autant plus sérieuse que le poids supporté par les articulations est important.

Séance détaillée du samedi

Posture 3
Souplesse des jambes et équilibre

Description

À genoux, fléchissez au maximum une jambe devant vous tout en maintenant le pied de l'autre jambe contre la fesse. Poussez ainsi avec la main le plus possible la jambe avant vers l'avant pendant 12 secondes en inspirant par le nez et en expirant par la bouche.

Décontractez-vous complètement pendant une dizaine de secondes avant d'inverser la position.

Répétition

Faites 4 postures alternées.

Variante

Réalisez la même technique en désaxant vers l'extérieur la jambe avant.
À répéter 4 fois en alternance.

Tête levée
Épaules étirées vers l'arrière
Bras fléchi
Talon contre la fesse
Pied en appui au sol
Jambe fléchie

Le conseil du professionnel :

Gardez la tête levée en permanence afin de ne pas entraîner en la fléchissant une position dorsale arrondie.

Question

Peut-on prendre appui sur le sol avec une main si l'on manque d'équilibre ?

Réponse

Il vaut mieux se tenir près d'une chaise, par exemple, et prendre appui sur celle-ci avec la main afin de conserver le buste droit. Évitez à tout prix de désaxer le corps.

**Souvenez-vous
de vos notions d'anatomie**
Le muscle demi-tendineux se termine vers :
a) le péroné
b) le tibia
c) le fémur

• •

Réponse : b) Le demi-tendineux se termine exactement sur la face antérieure de la tubérosité interne du tibia.

Les nuits blanches :
à éviter le plus possible !

Durant la phase de sommeil profond, l'hormone de croissance est en partie libérée, contribuant à la cicatrisation, à la prévention des rides, à la diminution des graisses. C'est également durant cette phase qu'est produite l'insuline (elle joue un rôle dans l'absorption du sucre par les cellules et améliore la digestion). Le sommeil paradoxal participerait au mécanisme d'apprentissage.

Cette phase de rêve est la plus active du cerveau et est indispensable.

Rappel : il n'y a pas de règle établie concernant la durée de sommeil, l'important étant de se lever en forme !

Séance détaillée du samedi

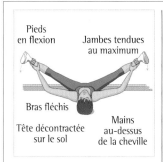

Pieds en flexion — Jambes tendues au maximum

Bras fléchis

Tête décontractée sur le sol — Mains au-dessus de la cheville

Le conseil du professionnel :

Collez bien le bassin contre le mur.

Question

Cette posture assouplit-elle autant si les jambes sont fléchies ?

Réponse

Non, sauf si vous écartez les jambes en extension maximale, puis que vous les fléchissez sans bouger les talons.

Souvenez-vous de vos notions d'anatomie

Le muscle tenseur du fascia-lata produit entre autres :
a) la flexion de la cuisse
b) l'extension de la jambe
c) la flexion de la hanche

• •

Réponse : c) Il produit la flexion de la hanche, son abduction horizon-tale et participe à la rotation interne de la hanche lors de la flexion.

Posture 4
Étirement des adducteurs

Description

Allongé sur le dos, les jambes écartées au maximum, en appui contre un mur, exercez une pression de 30 secondes avec les mains sur la cheville en inspirant par le nez et en expirant par la bouche le plus doucement possible.

Décontractez-vous complètement une quinzaine de secondes avant de recommencer.

Répétition

Faites 3 postures.

Variante

Réalisez la même technique en plaçant les pieds perpendiculaires au mur (tout en conservant le buste de face). Cette variante est plus difficile à réaliser que la posture initiale.

Comment vos gènes interviennent-ils au niveau des graisses ?

Les gènes produisent des hormones et des enzymes qui ont une influence directe sur l'organisme. Il a été ainsi observé chez des femmes qui possédaient une quantité importante d'œstrogènes ou de progestérone une prédisposition à stocker de la graisse sur le bas du corps.

Une autre constatation également chez les femmes : lorsqu'elles font un régime, la graisse du ventre et de la poitrine part en premier, suivie de celle des bras et d'une partie de celle des jambes et du ventre, mais celle des hanches demeure le plus souvent.

Le responsable : notre patrimoine génétique.
La solution : surveillez davantage votre hygiène alimentaire et intensifiez ou augmentez les activités sportives.

Programme d'un mois

Troisième semaine

Programme du lundi en 15 minutes

Posture 1

Étirement dorsal
Faire 4 étirements de 15 secondes chacun.

Posture 2

Flexion latérale du buste
Faire 4 étirements alternés de 8 secondes chacun.

Posture 3

Assouplissement des jambes
Faire 4 étirements alternés de 20 secondes chacun.

Posture 4

Ramené en diagonale du genou vers l'épaule opposée
Faire 4 étirements alternés de 20 secondes chacun.

N'oubliez pas de vous décontracter complètement en respirant le plus lentement possible entre chaque posture.

Relevez-vous lentement en expirant par la bouche en fin de séance.

La description détaillée de ces techniques se trouve dans les pages suivantes.

Séance détaillée du lundi

Posture 1
Étirement dorsal

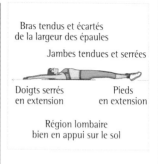

Bras tendus et écartés
de la largeur des épaules

Jambes tendues et serrées

Doigts serrés   Pieds
en extension   en extension

Région lombaire
bien en appui sur le sol

Description

Allongé sur le dos, étirez ainsi au maximum pendant 15 secondes jambes et bras en inspirant par le nez et en expirant par la bouche le plus lentement possible. Appuyez le plus possible sur le sol avec les lombaires durant toute la posture. Décontractez-vous pendant une dizaine de secondes avant de recommencer.

Répétition

Faites 4 postures.

Variante

Réalisez la même technique avec les jambes écartées.
À répéter 4 fois.

Le conseil du professionnel :

N'hésitez pas à décoller les talons du sol pendant toute la phase d'étirement si vous percevez mieux ainsi la technique.

Question

Peut-on rouler une serviette sous les reins pour réaliser cette technique si l'on est couché sur le ventre par exemple?

Réponse

Oui! Mais, dans ce cas, il s'agit d'une variante.

Testez vos notions de diététique

Quel est le pourcentage de protides nécessaires à une bonne hygiène alimentaire?
a) 15 %
b) 30 %
c) 45 %

• •

Réponse : a) 15 %.

Si vous êtes une femme, quel type de silhouette avez-vous ?

Endomorphe, ectomorphe ou mésomorphe?
- La silhouette endomorphe est plutôt ronde de partout et peut être agréable au regard si les proportions sont harmonieuses.
- L'ectomorphe est mince. C'est l'idéal dont rêvent les femmes, possible à atteindre pour certaines en se surveillant et en se dépensant physiquement.
- La mésomorphe se distingue par la puissance de ses contours et par la force qu'elle dégage musculairement. Pas très féminine...

Qu'en est-il du surplus gynoïde? Il se traduit par un bassin large, un ventre souvent replet et des cuisses celluliteuses. Il est plutôt féminin.
Et le surplus androïde? Il se caractérise par une surcharge pondérale principalement sur l'estomac, le ventre et le haut du corps. D'une façon générale, il est plutôt masculin.

Séance détaillée du lundi

Tête levée — Mains sur les coudes
Buste penché latéralement
Jambes en tailleur
Pieds souples

Le conseil du professionnel :

Tirez au maximum les épaules vers l'arrière en permanence.

Question

Peut-on décoller le bassin du sol lors de l'extension maximale ?

Réponse

Cela n'engendre pas de conséquences négatives sur la colonne vertébrale. En revanche, cela accentue le déséquilibre.

Posture 2
Flexion latérale du buste

Description

Assis en tailleur, étirez vos bras le plus possible derrière la tête et attrapez vos coudes avec les mains. Fléchissez ainsi au maximum le buste sur un côté pendant 8 secondes en expirant doucement par la bouche. Redressez le buste le plu lentement possible en inspirant par le nez.
Décontractez-vous complètement pendant une dizaine de secondes avant d'inverser la position.

Répétition

Faites 4 postures alternées.

Variante

Réalisez la même technique en tendant les bras à la verticale. À répéter 4 fois.

Testez vos notions de diététique

Quel est le pourcentage de lipides nécessaire à une bonne hygiène alimentaire ?
a) 30 %
b) 35 %
c) 45 %

· ·

Réponse : b) 35 %.

Le bébé et sa mère

Le poids idéal pour un bébé varie entre 3 kg et 3,25 kg. La mère doit en général avoir grossi d'environ 12 kg.
Pour information, le placenta pèse environ 700 g ; quant au liquide amniotique, il peut peser jusqu'à 1 kg. Le sang et l'eau correspondent à 2,5 kg environ ; la graisse de réserve peut atteindre 4 kg ; quant à la prise de poids des seins et de l'utérus, elle peut être d'environ 1,5 kg.
Le temps pour retrouver la ligne varie d'une personne à l'autre, mais en général il faut compter une année.
La plupart des mères qui s'entretiennent physiquement et se surveillent ont une silhouette bien plus mince après avoir accouché.

Posture 3
Assouplissement des jambes

Description

Debout, bras en élévation, placez (entièrement si possible) une jambe sur un support. Éloignez ainsi l'autre progressivement du support. Maintenez l'extension maximale pendant 10 secondes en inspirant par le nez et en expirant le plus lentement possible par la bouche.
Décontractez-vous complètement pendant une dizaine de secondes avant d'inverser la position.

Répétition

Faites 4 postures alternées.

Variante

Réalisez la même technique en penchant le buste latéralement du côté opposé au support.
À répéter 4 fois.

Doigts entrelacés
Paumes tournées vers l'extérieur
Dos droit
Bras en extension maximale
Tête levée
Jambes tendues
Pied parallèle au support

Le conseil du professionnel :

Le dos doit rester droit et parfaitement immobile (évitez de le pencher vers l'avant).

Question

Peut-on faire une rétroversion du bassin avec cette technique ?

Réponse

Oui ! Mais cela modifie la posture d'une façon importante. Ne le faites que si vraiment vous avez un état d'hyperlordose (reins creusés).

Testez vos notions de diététique

Quel est le pourcentage de glucides nécessaire à une bonne hygiène alimentaire ?
a) 35 %
b) 55 %
c) 70 %

. . . .

Réponse : b) 55 %.

Afin d'éviter le plus possible les petites erreurs de gourmandise... les valeurs caloriques des en-cas !

25 cl de Coca light : 2 cal
1 pomme : 80 cal
1 yaourt demi-écrémé aromatisé : 80 cal
1 banane : 140 cal
1 sandwich au jambon : 220 cal
1 petit hamburger : 250 cal
1 demi-baguette : 250 cal
1 barre chocolatée : 285 cal
1 petit milk-shake au chocolat : 350 cal
100 g de petits-beurre : 400 cal
1 pot de mousse au chocolat : 445 cal
1 portion de frites : 450 cal
1 hamburger (copieux) : 450 à 650 cal
1 sandwich saucisson/beurre : 550 cal
1 pain au chocolat : 560 cal
1 part de quiche : 580 cal

Séance détaillée du lundi

Coudes dirigés vers le haut — MUR

Genou touchant la poitrine — Dos droit

Doigts entrelacés autour du genou — Pied fléchi

Jambe d'appui semi-fléchie

Le conseil du professionnel:

Ne fléchissez pas le dos vers l'avant.

Question

Peut-on attraper la jambe au lieu du genou?

Réponse

Non! Car il est alors plus diffi-cile d'étirer la cuisse en diagonale.

Testez vos notions de diététique

Combien de catégories de lipides existe-t-il?
a) 5
b) 4
c) 3

....

Réponse: b) Il existe 4 catégories de lipides: le cholestérol, les phospholipides, les triglycérides et les acides gras.

Posture 4
Ramené en diagonale du genou vers l'épaule opposée

Description

Debout, adossé contre un mur, ramenez en diagonale, à l'aide des mains, le genou droit vers le pectoral gauche. Maintenez la position d'étirement maximal pendant 20 secondes en inspirant par le nez et en expirant doucement par la bouche. Décontractez-vous complètement pendant une dizaine de secondes avant d'inverser la position.

Répétition

Faites 4 postures alternées.

Variante

Réalisez la même technique en ayant la jambe étirée tendue devant soi (c'est nettement plus difficile).
À répéter 4 fois.

Vous avez maigri et vous ne voulez pas regrossir...

Pour cela, voici quelques conseils:
- mangez de tout;
- réduisez les quantités;
- évitez de sauter un repas;
- pensez toujours à bien équilibrer vos aliments, répartis de la façon suivante: 55 % de glucides, 30 % de lipides et 15 % de protides;
- mâchez lentement;
- ayez toujours à portée de main des aliments hypo-caloriques, tels des yoghourts demi-écrémés (les lights sont moins bons et ne justifient pas la différence calorique), des fruits (qui sont toujours meilleurs pour la santé que des gâteaux), des légumes tels que les carottes.
Ceci vous permettra de vraiment manger sans prendre de kilos.
Et surtout, hydratez-vous régulièrement! N'oubliez pas que l'eau fait également office de coupe-faim.

Dos et ordinateur

Le nombre des personnes qui se plaignent de douleurs diverses en raison de leur mauvais positionnement face à l'ordinateur est impressionnant!

Le remède? Il consiste en un ensemble de facteurs:

1. Avoir un bureau répondant aux normes ergonomiques (à bannir absolument: le bureau design aux courbes, certes esthétiques, mais absolument pas fonctionnelles).

2. S'asseoir sur un siège adapté à votre morphologie.

3. Bien régler la distance entre le siège et l'ordinateur (qui doit être aussi à la bonne hauteur).

4. S'arrêter quelques minutes toutes les deux heures pour étirer le dos dans diverses directions et se relaxer.

5. Fermer les yeux pendant une ou deux minutes dès que l'on ressent une fatigue oculaire.

6. Se masser pendant 30 secondes en cercles (dans le sens inverse des aiguilles d'une montre) et en douceur la région lombaire avant de se lever.

7. Penser à avoir toujours les avant-bras au-dessus du plan de travail (ce qui vous forcera à rapprocher votre chaise du bureau et ainsi à mieux positionner votre dos).

Cinq exercices au choix

Faites l'un des exercices suivants pour détendre vraiment votre corps après avoir travaillé sur l'ordinateur ; choisissez celui qui vous convient le mieux:

- Rotations lentes du cou dans un sens puis dans l'autre (à réaliser au moins 8 fois en alternance).

- Rotations arrière des épaules (à réaliser 6 fois).

- Étirement des bras parallèles au-dessus de la tête (à réaliser au moins 3 fois pendant 20 secondes chacun).

- Arrondissement du bas du dos (à réaliser au moins 4 fois pendant 20 secondes à chaque fois).

- Étirement au maximum des jambes devant soi en étant assis (à réaliser 3 fois pendant 15 secondes à chaque fois).

Programme du mardi en 15 minutes

Posture 1
Étirement vertébral
Faire 4 étirements de 8 secondes chacun.

Posture 2
Flexion latérale de la taille
Faire 4 étirements alternés de 12 secondes chacun.

Posture 3
Écartement antéro-postérieur avec les jambes fléchies
Faire 4 étirements alternés de 12 secondes chacun.

Posture 4
Assouplissement en diagonale de la jambe
Faire 4 étirements alternés de 15 secondes chacun.

N'oubliez pas de vous décontracter complètement en respirant le plus lentement possible entre chaque posture.

Relevez-vous lentement en expirant par la bouche en fin de séance.

La description détaillée de ces techniques se trouve dans les pages suivantes.

Séance détaillée du mardi

Posture 1
Étirement vertébral

Poings serrés
Dos plat penché vers l'avant
Bras en extension maximale écartés de la largeur des épaules
Jambes légèrement écartées
Pieds sur le sol

Description

Assis, bras en élévation, étirez-les au maximum vers le haut, le corps penché vers l'avant, pendant 8 secondes en expirant doucement par la bouche. Inspirez par le nez en redescendant doucement les bras le long du corps.
Décontractez-vous complètement pendant une dizaine de secondes avant de recommencer.

Répétition

Faites 4 postures.

Variante

Pratiquez la même posture en écartant davantage les bras. À répéter 4 fois.

Le conseil
du professionnel :

Veillez à vous asseoir
au milieu du siège
et non complètement
au bord.

Question
Jusqu'où doit-on pencher le corps vers l'avant ?

Réponse
Jusqu'à 45° environ !

Qu'est-ce qu'une entorse cervicale ?

C'est une lésion de l'ensemble disco-ligamentaire qui est composé de trois segments: le segment antérieur (disque), le segment moyen (ligament vertébral commun postérieur, capsules articulaires), le segment postérieur (ligament interépineux).
L'entorse survient lors d'un mouvement excessif de flexion-extension, à l'occasion d'une chute ou lors d'un traumatisme indirect lié à un mouvement de rotation. Elle peut arriver au cours d'un randori (affrontement amical de deux judokas), d'un plongeon ou d'une chute en équitation, par exemple.
Pour une entorse bénigne, le ligament interépineux et les capsules sont étirés.
Pour une entorse grave, il y a rupture du ligament interépineux de la capsule, du ligament vertébral postérieur. On constate également un cisaillement du disque.

Testez vos notions
de diététique
La cellulose est issue :
a) du glucose
b) du maltose
c) du galactose

• •

Séance détaillée du mardi

Tête baissée   Dos plat

Jambes en extension

Mains sur le sol à l'extérieur des pieds

Bras en extension maximale écartés de la largeur des épaules

Le conseil du professionnel :

Évitez le plus possible d'arrondir la région lombaire, elle doit rester le plus plate possible.

Question

Doit-on écarter les jambes au maximum ?

Réponse

Si possible, oui ! Toutefois, il vaut mieux, pour la qualité de la technique, moins écarter les jambes en conservant les pieds parallèles plutôt que de les écarter beaucoup en ayant les pieds en ouverture.

Testez vos notions de diététique

Qu'est-ce que l'index glycémique ?
a) le pourcentage de glucides stockés dans tout l'organisme
b) le taux de sucres complexes dans l'organisme
c) la mesure de l'élévation du taux de sucre dans le sang

· ·

Réponse : c) la mesure de l'élévation du taux de sucre dans le sang.

Posture 2
Flexion latérale de la taille

Description

Debout, jambes bien écartées, fléchissez le buste vers l'extérieur d'une jambe. Posez les mains sur le sol. Étirez ainsi le plus possible le dos vers l'avant pendant 12 secondes en inspirant par le nez et en expirant par la bouche. Décontractez-vous complètement pendant une douzaine de secondes avant de changer de côté.

Répétition

Faites 4 postures alternées.

Variante

Pratiquez la même posture en fléchissant la jambe du côté où vous placez les mains. À répéter 4 fois en alternance.

Quels sont les facteurs favorisant une lombalgie chez un sujet sportif ?

Il s'agit le plus souvent de l'addition de plusieurs causes :
- pratiquer un effort important en état d'insuffisance musculaire ;
- s'exercer sur un sol trop dur ;
- ne pas porter de chaussures adaptées à l'entraînement ou au terrain ;
- souffrir d'un déséquilibre abdomino-pelvien ;
- avoir une malformation vertébrale ;
- répéter des gestes ou attitudes violents, néfastes pour le rachis.

Les dispositions à prendre :
- la radiographie, qui est le contrôle le plus courant ;
- les autres examens (demandés en vue d'une éventuelle intervention chirurgicale) : scanner, examens biologiques, IRM, discographie, électromyogramme, radiculographie.

Posture 3
Écartement antéro-postérieur avec les jambes fléchies

Description

Debout, placez vos jambes fléchies en fente avant, en prenant appui sur le sol avec les mains. Maintenez l'écart maximal pendant 12 secondes en inspirant par le nez et en expirant par la bouche le plus lentement possible.
Décontractez-vous complètement pendant une vingtaine de secondes avant d'inverser la position.

Répétition

Faites 4 postures alternées.

Variante

Réalisez la même posture avec les jambes tendues.
À répéter 4 fois en alternance.

Dos droit
Épaules étirées vers l'arrière
Bras fléchis
Mains en appui sur le sol de part et d'autre du corps
Plante du pied en appui sur le sol

Le conseil du professionnel :

Conservez bien les jambes dans leur axe.

Question

Doit-on fléchir une jambe plus que l'autre ?

Réponse

Surtout pas ! Les flexions pour cette posture doivent être symétriques afin de maintenir l'équilibre du corps.

Maintenir la forme après 50 ans

Après la cinquantaine, les règles ont tendance à disparaître. Une femme ménopausée n'a plus d'ovulation et ne produit plus d'hormones féminines. La procréation devient impossible. Actuellement, les traitements hormonaux de substitution diminuent les fameuses « bouffées de chaleur » et agissent également bénéfiquement sur les articulations, le sommeil, la sécheresse vaginale et la masse osseuse (prévention de l'ostéoporose).
On constate ainsi que, grâce à ces traitements, beaucoup de femmes maintiennent leur « potentiel forme » car elles ne sont pas incommodées par les désagréments de la ménopause.
À 50 ou 55 ans, une femme sportive et entraînée ne constate qu'une relativement faible diminution de ses performances comparées à celles qu'elle avait à 40 ou 45 ans.
Conclusion : tous les espoirs sont permis !

Testez vos notions de diététique

Les protéines sont composées d'acides aminés. Combien en existe-t-il de différents ?
a) 8
b) 16
c) 20

· ·

Réponse : c) 20 : le tryptophane, la valine, l'isoleucine, la lycine, la leucine, la phénylalanine, la méthionine...

Séance détaillée du mardi

Pieds en flexion

Jambes en extension maximale

Bras fléchis tenant le mollet

Coudes fléchis dirigés vers le haut

Tête sur le sol

Le conseil du professionnel :

Ne décollez pas les épaules du sol.

Question

Peut-on surélever la tête avec un petit coussin pour réaliser cette technique ?

Réponse

Oui, si vous en ressentez vraiment le besoin.

Testez vos notions de diététique

L'assimilation des protéines requiert de l'énergie. Combien de calories sont brûlées pour 100 calories issues des protéines ?

a) 15
b) 25
c) 35

••••••••••••••••••••••••••••••

Réponse : a) 15.

Posture 4
Assouplissement en diagonale de la jambe

Description

Allongé sur le dos, les jambes tendues, élevez une jambe en diagonale pendant 15 secondes en inspirant par le nez et en expirant doucement par la bouche. Décontractez-vous complètement pendant une vingtaine de secondes avant d'inverser la position.

Répétition

Faites 4 postures alternées.

Variante

Réalisez la même technique avec la jambe élevée en flexion. À répéter 4 fois en alternance.

Prenez soin de vos talons d'Achille !

La rupture d'un talon d'Achille peut survenir à tout moment. Comment la reconnaître ? La douleur est en général très brutale et entraîne une incapacité gestuelle immédiate.

On peut, à la suite de ce traumatisme, être plâtré pendant trois mois ou subir une intervention chirurgicale (dans ce dernier cas, il convient d'être immobilisé 3 à 6 semaines après l'opération). Lorsque le plâtre est enlevé, il existe un risque de récidive pendant deux mois.

Que faut-il faire lorsqu'on peut à nouveau marcher ?
– S'appuyer sur des béquilles lors des déplacements.
– Porter des talonnettes de surélévation.
– Faire des exercices proprioceptifs (proprioception: sensibilité propre aux os, tendons, muscles, articulations, renseignant sur la statique, l'équilibre et le déplacement du corps dans l'espace) enseignés par le kinésithérapeute.
– Se faire faire des massages drainants de la cheville et des pieds.
– Réaliser un travail de mobilisation des articulations du pied, de la cheville, en flexion, et du genou plié.

La rupture du talon d'Achille peut être plus fréquente chez les personnes en dialyse.

Activité physique et mal de dos

L'entretien physique est la meilleure prévention des maux de dos. Ces derniers peuvent être dus, entre autres, à des lombalgies récurrentes, issues de tensions musculaires ou de fatigue créant des zones douloureuses.

Quant aux contractures, elles entraînent le plus souvent des congestions circulatoires dans les muscles, d'autant plus importantes que ces derniers sont surmenés.

Les vertèbres peuvent aussi subir des traumatismes, tels les fractures, les déplacements, etc.

Les nerfs non plus ne sont pas exempts d'irritation au niveau de la zone lombaire, en raison, par exemple, d'un rétrécissement du canal rachidien des vertèbres.

Les distensions des disques intervertébraux, avec le temps, ne sont pas rares. Il peut y avoir saillie discale (indolore et qui, souvent, s'arrange d'elle-même), déchirure ou « cassure », ce qui crée une hernie.

Il ne faut pas oublier non plus qu'un tendon peut s'enflammer et être à l'origine d'un mal dorsal.

Mauvaise nouvelle : après 30 ans, les disques dégénèrent et se déshydratent.

Lorsqu'un disque endommagé comprime un nerf sciatique (il y a en a deux), on a une sciatique. Elle peut être douloureuse et se manifeste souvent par des sensations d'engourdissement du pied et de la jambe.

Une certitude

L'activité physique constitue une prévention sérieuse au fil des ans, également au niveau des vertèbres, ligaments, tendons et muscles.

Plus tôt on le comprend, mieux c'est!

L'arthrose ou l'excès de sport ou encore des gestes mal réalisés peuvent être aussi responsables de lombalgies. C'est pour cela qu'il faut toujours exercer son corps avec des mouvements symétriques, sans violence, et en essayant de progresser surtout au niveau de l'amplitude articulaire, avec douceur.

Programme du mercredi en 15 minutes

Posture 1
Étirement dorsal
Faire 3 étirements de 15 secondes chacun.

Posture 2
Flexion latérale
Faire 4 étirements alternés de 10 secondes chacun.

Posture 3
Écartement des jambes
Faire 3 étirements alternés de 15 secondes chacun.

Posture 4
Étirement du dos et des jambes
Faire 4 étirements alternés de 10 secondes chacun.

N'oubliez pas de vous décontracter complètement en respirant le plus lentement possible entre chaque posture.

Relevez-vous lentement en expirant par la bouche en fin de séance.

La description détaillée de ces techniques se trouve dans les pages suivantes.

Séance détaillée du mercredi

Posture 1
Étirement dorsal

Pieds en flexion

Jambes serrées tendues
en extension maximale

Bras parallèles et écartés
de la largeur des épaules

Mains en extension

Description

Allongé sur le dos, les jambes en élévation, bras dans le prolongement du corps : étirez les jambes vers le haut et les bras vers l'arrière pendant 15 secondes en inspirant par le nez et en expirant par la bouche le plus lentement possible. Décontractez-vous complètement pendant une dizaine de secondes avant de recommencer.

Répétition

Faites 3 postures.

Variante

Réalisez la même posture avec les jambes et les bras écartés. À répéter 3 fois.

Le conseil du professionnel :

Plaquez bien vos lombaires contre le sol.

Question

Doit-on soulever légèrement le bassin durant la posture ?

Réponse

Non ! Il doit rester bien en appui sur le sol.

Pour avoir de beaux cheveux, consommez des aliments comportant du zinc

En effet, une chute anormale des cheveux peut être due à une insuffisance de cet élément. On le trouve essentiellement dans les huîtres, les champignons, mais aussi dans les céréales et le pain complet, les légumes secs et les viandes maigres. Le zinc est essentiel pour la femme enceinte et joue un rôle de prévention au niveau de la peau.

Évitez de boire du thé ou du café en fin de repas après avoir mangé des huîtres car la théine et la caféine nuisent au métabolisme du zinc.

Testez vos notions de diététique

Combien existe-t-il de catégories d'acides gras ?
a) 1
b) 2
c) 4

• •

Réponse : b) 2 : les acides gras saturés et les acides gras insaturés.

Séance détaillée du mercredi

Buste fléchi latéralement
Bras tendus au maximum
Doigts entrelacés
Paumes dirigées vers l'intérieur
Jambes écartées
Dessus des pieds en contact avec le sol

Le conseil du professionnel :

Le corps doit être fléchi sur le côté, mais surtout pas vers l'avant.

Question

Peut-on décoller un peu du sol le genou opposé au côté fléchi de la taille ?

Réponse

Non ! Il doit rester bien en appui sur le sol.

Posture 2
Flexion latérale

Description

À genoux, les bras élevés dans le dos : fléchissez latéralement la taille en expirant par la bouche pendant 10 secondes. Inspirez doucement par le nez en vous redressant. Décontractez-vous complètement pendant une dizaine de secondes, avant d'inverser la position.

Répétition

Faites 4 postures alternées.

Variante

Réalisez la même technique avec les paumes dirigées vers l'extérieur (c'est un peu plus difficile…).
À répéter 4 fois en alternance.

Testez vos notions de diététique

Quelle est la viande la plus maigre ?
a) le bœuf
b) l'agneau
c) le cheval

• •

Réponse : c) La viande de cheval : elle ne contient que 2 % de graisse.

Méfiez-vous des vapeurs de chloramines !

Récemment, on a découvert que des vapeurs de chloramines, néfastes pour les voies respiratoires, étaient dégagées dans les piscines couvertes, chlorées. Elles proviennent de réactions chimiques entre désinfectants chlorés, sueur et urine des nageurs.
Ces vapeurs peuvent créer des irritations des bronches, faire couler le nez ou éventuellement déclencher un début d'asthme. Des experts ont ainsi constaté des lésions bronchiques chez des enfants d'une dizaine d'années. Ces lésions sont comparables à celles rencontrées chez certains fumeurs adultes.
Préférez donc par précaution la fréquentation des piscines découvertes ou diminuez la fréquence de vos entraînements dans les piscines couvertes. Il convient toutefois de ne pas trop s'alarmer car d'autres facteurs interviennent, comme la ventilation de la piscine ou la qualité du système d'épuration.

Séance détaillée du mercredi

Posture 3
Écartement des jambes

Description

Assis, jambes écartées, face à un support (meuble, table, etc.), mains tenant le support devant vous: fléchissez au maximum vos bras afin de rapprocher le plus possible le buste et surtout le bassin du support pendant 15 secondes, en inspirant par le nez et en expirant par la bouche le plus lentement possible.
Décontractez-vous complètement pendant une vingtaine de secondes avant de recommencer.

Répétition

Faites 3 postures alternées.

Variante

Réalisez la même posture en surélevant votre bassin avec un annuaire, un coussin, une grosse serviette…
À répéter 3 fois.

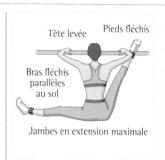

Tête levée — Pieds fléchis
Bras fléchis parallèles au sol
Jambes en extension maximale

Le conseil du professionnel:

Veillez à placer votre bassin le plus possible perpendiculaire au sol.

Question

Peut-on placer les mains à l'arrière en appui sur le sol au lieu de les mettre sur un support?

Réponse

Si vous les mettez sur le sol, pensez à bien étirer vos épaules vers l'arrière, gardez le dos droit et, avec vos mains, faites avancer le bassin au maximum vers le support.

Testez vos notions de diététique
L'apport journalier recommandé en vitamine B12 est de:
a) 1 mg
b) 2 mg
c) 4 mg

• •
Réponse: a) 2 mg. On la trouve dans le poisson, les œufs, la viande et les laitages.

À quoi reconnaît-on un syndrome rotulien?

En général, on le reconnaît en éprouvant, lorsqu'on descend ou qu'on monte des escaliers, des douleurs au niveau de la rotule, associées à une instabilité de l'articulation. Il peut également y avoir gonflement de l'articulation. Les douleurs peuvent survenir aussi lorsqu'on marche sur un terrain accidenté. Il est par ailleurs difficile de s'accroupir sans souffrance. L'instabilité provoquant la sensation de dérobement est en fait due à une altération du quadriceps. Il importe donc de bien respecter les positionnements articulaires dans les sports ou disciplines pratiqués. C'est pour cette raison qu'il faut, en stretching, lors de toutes les postures, veiller à ce que les articulations des genoux restent dans l'axe des jambes.

Séance détaillée du mercredi

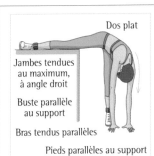

Dos plat

Jambes tendues au maximum, à angle droit

Buste parallèle au support

Bras tendus parallèles

Pieds parallèles au support

Le conseil du professionnel :

Placez votre bassin le plus près possible du support.

Question

Peut-on fléchir la jambe d'appui si l'on manque d'équilibre ?

Réponse

Oui ! Vous pouvez également prendre appui avec une main sur le support, si vraiment vous n'avez aucune stabilité. Choisissez bien la hauteur de votre support, quel qu'il soit (table, meuble, chaise), afin de ne pas le trouver trop élevé pendant la phase d'étirement.

Testez vos notions de diététique

Les sels minéraux sont issus de :
a) 7 corps
b) 8 corps
c) 9 corps

....

potassium.

magnésium, le phosphore et le

calcium, le sodium, le chlore, le

Réponse : a) 7 corps : le soufre, le

Posture 4
Étirement du dos et des jambes

Description

Debout, placez, dans la mesure du possible, complètement une jambe sur un support (commode, table, appui de canapé) et étirez ainsi vos mains sur le sol devant la jambe d'appui, pendant 10 secondes en expirant par la bouche. Relevez le buste très lentement en expirant par le nez et en fléchissant la jambe d'appui.
Décontractez-vous complètement une vingtaine de secondes avant d'inverser la position.

Répétition

Faites 4 postures alternées.

Variante

Réalisez la même technique en entrelaçant les doigts, paumes tournées vers l'extérieur.

Le cocktail de la forme : melon, banane et orange !

L'été, pour aborder au mieux une journée bien remplie, faites le plein de vitamines avec cette préparation très prisée des sportifs : mixez un petit melon avec deux bananes et deux oranges. Ajoutez de la glace pilée (et éventuellement du sucre si vous avez une dépense physique à réaliser ensuite).

Ce cocktail contient : des protides, des lipides (en très faible quantité), des glucides, de l'eau, du calcium, du potassium, du magnésium, des fibres et des vitamines C, B6, A (bêta-carotène).

Surtout, consommez cette préparation dès qu'elle est prête !

Vaincre les crampes !

Elles surviennent au moment où l'on s'y attend le moins.

Afin de mieux les combattre, il faut en connaître les causes. Elles peuvent être dues à :
- un excès d'activité physique ;
- un échauffement insuffisant ou mal mené ;
- une absence de temps de récupération ou une insuffisance de phases de repos ;
- un manque d'hydratation ;
- une réalisation gestuelle défectueuse ;
- un apport trop réduit de potassium, magnésium ou calcium ;
- une insuffisance veineuse (cela concerne surtout les crampes nocturnes).

Les praticiens recommandent alors des bains chauds (sauf en cas de mauvaise circulation), des massages, des séances de physiothérapie. Ils prescrivent souvent aussi des dérivés de quinine, des myorelaxants (favorisant la détente musculaire), du magnésium, du calcium, du potassium, des veinotropes et de la vitamine B.

Sur le terrain, il faut allonger la personne souffrant de crampes et mettre le membre concerné en hyper-extension avec douceur (par exemple, si c'est au pied ou au mollet : fléchir le pied au maximum). Il convient également d'hydrater la personne avec de l'eau à température ordinaire, légèrement salée ou sucrée. Si cela est possible, lui donner un aliment riche en vitamine B1 (thiamine) que l'on trouve dans le pain complet, le lait ou le beurre, ou en vitamine B6 (pyridoxine) que l'on trouve dans les fruits ou les légumes, par exemple.

Les crampes persistantes peuvent relever du domaine pathologique, neurologique, endocrinien ou vasculaire.

Calcium et vitalité !

Le calcium est indispensable à l'organisme, notamment au niveau du cœur et de la circulation, de la transmission des influx nerveux, de l'ossature et de la dentition. Il intervient également dans le tonus musculaire. Les crampes musculaires sont souvent le signe d'un apport de calcium insuffisant.
Où le trouve-t-on ?
Dans les laitages, les agrumes, les légumes verts et les fruits secs, certaines conserves de poisson, l'eau et le soja. Il est rare qu'on souffre d'une surdose de calcium et si cela était le cas, c'est sans conséquence. Il importe donc de surveiller son alimentation, surtout en vieillissant, afin d'éviter que l'organisme ne puise son calcium dans le squelette.

Programme du jeudi en 15 minutes

Posture 1
Étirement du haut du dos latéralement
Faire 3 postures de 15 secondes chacune.

Posture 2
Extension de la taille en flexion latérale
Faire 4 postures alternées de 8 secondes chacune.

Posture 3
Flexion avant du buste
Faire 4 postures alternées de 12 secondes chacune.

Posture 4
Assouplissement des adducteurs
Faire 4 postures alternées de 12 secondes chacune.

N'oubliez pas de vous décontracter complètement en respirant le plus lentement possible entre chaque posture.

Relevez-vous lentement en expirant par la bouche en fin de séance.

La description détaillée de ces techniques se trouve dans les pages suivantes.

Séance détaillée du jeudi

Posture 1
Étirement du haut du dos latéralement

Description

Debout ou assis : placez les bras en croix en les étirant au maximum pendant 15 secondes en inspirant par le nez et en expirant par la bouche le plus lentement possible. Décontractez-vous pendant une dizaine de secondes avant de recommencer.

Répétition

Faites 3 postures.

Variante

Réalisez la même technique avec les poings serrés. À répéter 3 fois.

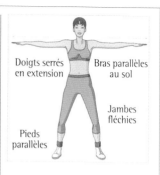

Doigts serrés en extension — Bras parallèles au sol — Jambes fléchies — Pieds parallèles

Le conseil du professionnel :

Étirez les épaules au maximum à l'arrière.

Question

Peut-on réaliser cette posture avec les bras plus élevés ?

Réponse

Oui ! Mais cela ne sollicite pas tout à fait les mêmes fibres musculaires.

Paracétamol et mal de dos !

Connu pour soulager la douleur, le paracétamol n'intervient pas sur l'inflammation. Il est souvent prescrit pour les maux de dos (il peut être obtenu sans ordonnance).

En règle générale, le paracétamol ne provoque pas d'irritation de l'estomac.

Il ne faut pas en prendre plus de 4000 mg par jour. Respectez les délais prescrits entre les prises.

Il est en général proscrit aux personnes souffrant de troubles rénaux ou hépatiques.

Testez vos notions de diététique

Depuis quand les médecins nutritionnistes sont-ils reconnus ?
a) 1991
b) 1995
c) 1998

....

Réponse : a) depuis 1991.

Séance détaillée du jeudi

Doigts serrés en extension

Bras tendu en élévation

Épaule étirée
au maximum
vers l'arrière

Bras
d'appui
tendu

Main d'appui et pieds
sur une même ligne

**Le conseil
du professionnel :**

Le dos doit rester
droit : évitez à tout
prix d'accentuer
la lordose lombaire
naturelle.

Question

**Est-il possible de fléchir un
peu le bras d'appui ?**

Réponse

**Oui ! Veillez quand même à ce
que cela n'ait pas de conséquence sur le placement du
dos.**

**Testez vos notions
de diététique**

Le chou-fleur est connu depuis :
a) 1 500 ans
b) 2 500 ans
c) 3 000 ans

• •

Réponse : b) depuis 2 500 ans. Il
est peu calorique : 24
calories pour 100 g.

Posture 2
Extension de la taille en flexion latérale

Description

À partir de la position agenouillée, le bras droit tendu en
élévation, élevez latéralement la jambe droite, en prenant
appui sur le bras gauche. Maintenez la posture pendant
8 secondes en expirant par la bouche. Inspirez par le nez en
vous remettant lentement à genoux. Décontractez-vous
pendant une dizaine de secondes avant d'inverser la position.

Répétition

Faites 4 postures alternées.

Variante

Réalisez la même technique en décollant du sol la jambe
tendue.
À répéter 4 fois en alternance.

Qu'est-ce que le stretching balistique ?

Il n'est pas enseigné et ne fait pas partie des différentes
méthodes de référence citées au début de ce guide. Il n'est
donc pas apparenté au stretching Ballistic and hold. Il est
constitué de gestes assez rapides comportant de petits sauts
dans le but d'améliorer l'élasticité musculaire.
Certains entraîneurs de gymnastique au sol le faisaient pratiquer autrefois afin de perfectionner la dynamique gestuelle
de grande amplitude. Cela étant, ce stretching dynamique
n'est pas à la portée de tous car c'est la forme la plus tonique
de toutes les méthodes.

Posture 3
Flexion avant du buste

Description

Debout, un pied devant l'autre : fléchissez le buste vers l'avant en relevant le pied avant. Rapprochez ainsi au maximum le buste de la jambe avant pendant 12 secondes en inspirant par le nez et en expirant par la bouche le plus lentement possible. Décontractez-vous complètement pendant une quinzaine de secondes avant d'inverser la position.

Répétition

Faites 4 postures alternées.

Variante

Pratiquez la même technique en fléchissant la jambe arrière. À répéter 4 fois en alternance.

Bras en extension maximale écartés de la largeur des épaules

Jambes tendues

Orteils décollés

Mains sur le sol de chaque côté de la jambe avant

Le conseil du professionnel :

Cherchez à mettre le ventre et la poitrine sur la jambe, et non pas le front !

Question

Peut-on éloigner les pieds l'un de l'autre au lieu de les faire se toucher ?

Réponse

Si la technique de base vous semble trop difficile, vous pouvez en effet éloigner le pied arrière, mais il doit bien rester dans l'axe de l'autre.

Que faire si on souffre d'une entorse externe de la cheville ?

Certes, cela n'arrive pas souvent, mais il est important de traiter sérieusement ce traumatisme. D'après les spécialistes, le traitement de l'entorse doit être soumis à trois conditions :
– La cheville doit être immobilisée par plâtre ou strapping.
– Il faut conserver la protection de trois à huit semaines suivant l'importance de l'entorse.
– Une rééducation doit être suivie afin de recouvrer l'amplitude articulaire initiale et la stabilité.
L'entraînement proprioceptif (la proprioception est la sensibilité propre aux os, aux muscles, aux tendons et aux articulations renseignant sur la statique, l'équilibrage et le déplacement du corps dans l'espace) commence ensuite dès que l'articulation de la cheville n'est plus douloureuse. Le praticien recommande en général des massages drainants du pied et de la cheville, une immobilisation de l'articulation, un traitement d'ionisation et d'ondes centimétriques (pratiquées chez le kinésithérapeute) et un renforcement musculaire des péroniers latéraux, ainsi que des divers groupes musculaires dans le cas d'une immobilisation plâtrée.

Testez vos notions de diététique
Combien existe-t-il de sortes de haricots ?
a) 40
b) 80
c) 200

· ·

Réponse : a) 200. Il contient des fibres, du potassium, du bêta-carotène, et des vitamines A, B et C.

Séance détaillée du jeudi

Pied fléchi

Jambe en extension maximale

Main tenant la cheville ou la plante du pied par l'intérieur

Jambe d'appui semi-fléchie

Le conseil du professionnel :

Veillez non seulement à élever le plus haut possible la jambe, mais également à la tirer au maximum vers l'arrière sans bouger le dos.

Question

Comment faire pour conserver son équilibre le mieux possible ?

Réponse

Plaquez bien l'ensemble de votre corps contre un mur derrière vous et… appuyez en douceur. Cela vous aidera efficacement.

Testez vos notions de diététique

Combien de lipides contient la pomme pour 100 g ?
a) 0,4 g
b) 0,9 g
c) 1,2 g

• • • • • • • • • • • • • • • • • • • •

Réponse : a) 0,4 g. Elle contient également 0,2 g de protéine, 15 g de glucides et 2,2 g de fibres.

Posture 4
Assouplissement des adducteurs

Description

Debout, adossé à un mur : élevez latéralement une jambe. Maintenez son élévation maximale durant 12 secondes en inspirant et en expirant par le nez le plus lentement possible. Décontractez-vous pendant une quinzaine de secondes avant d'inverser la posture.

Répétition

Faites 4 postures alternées.

Variante

Réalisez la même technique en maintenant l'extrémité du pied de la jambe élévatrice avec la main.
À répéter 4 fois.

Le régime dissocié : il redevient à la mode, mais que faut-il en penser ?

Son principe est de dissocier les aliments sans tenir compte de leur quantité. Par exemple, il convient de ne pas associer :
- les protides entre eux ;
- les glucides et les lipides ;
- les fruits et les glucides ;
- les protides et les lipides.

En contre-partie, on peut associer :
- les protéines et les légumes ;
- les légumes et les fruits secs et les lipides.

La caractéristique principale de ce régime serait de supprimer l'effet de fermentation. Ce régime permet de perdre du poids, tant qu'on le fait. En revanche, les kilos reviennent très vite dès qu'on reprend un régime normal. Il n'est pas facile à suivre, dans le cadre d'une vie très active, ni très agréable au niveau de la dégustation. Il ne comporte pas trop de carences, mais ne sera jamais aussi efficace qu'une hygiène alimentaire bien respectée.

Grossesse et activité sportive

Sans difficulté spécifique, voici ce que conseillent les spécialistes :

De 0 à 2 mois de grossesse
- Évitez absolument la plongée !
- Aucune contre-indication à la pratique d'une activité sportive non violente.

De 2 à 3 mois de grossesse
- Diminuez un peu l'intensité de la pratique sportive.

De 4 à 8 mois de grossesse
- Pratiquez de la gymnastique d'entretien en même temps que la préparation à l'accouchement. Cela permet d'éviter l'amyotrophie musculaire (atrophie des muscles, en particulier des muscles striés), et de conserver la souplesse articulaire et musculaire, l'aptitude à la coordination, enfin l'aptitude cardiaque à l'effort. Veillez à bien exercer vos muscles de façon symétrique.
- Vous pouvez sans inconvénient pratiquer la natation.

De 8 à 9 mois de grossesse
- Le repos est conseillé.
- Vous pouvez cependant continuer en position assise, par exemple, à renforcer vos pectoraux et votre dos à l'aide d'exercices appropriés pour assouplir et décontracter la masse dorsale.

Après l'accouchement
- Il faut bien suivre les dix séances de kinésithérapie (remboursées par la Sécurité sociale).
- Il est essentiel d'attendre le retour des règles pour reprendre une activité sportive sérieuse.
- Les spécialistes conseillent d'attendre trois à quatre mois avant de reprendre le sport de façon intensive.

Important

N'oubliez pas qu'une femme sportive a un accouchement plus facile : elle a une bonne sangle abdominale et une aptitude respiratoire plus efficace.

Programme du vendredi en 15 minutes

Posture 1

Étirement général du corps
Faire 3 postures de 15 secondes chacune.

Posture 2

Rotation de la taille
Faire 4 postures alternées de 8 secondes chacune.

Posture 3

Flexion avant du corps
Faire 4 postures alternées de 10 secondes chacune.

Posture 4

Assouplissement de la cuisse
Faire 4 postures alternées de 8 secondes chacune.

N'oubliez pas de vous décontracter complètement en respirant le plus lentement possible entre chaque posture.

Relevez-vous lentement en expirant par la bouche en fin de séance.

La description détaillée de ces techniques se trouve dans les pages suivantes.

Séance détaillée du vendredi

Posture 1
Étirement général du corps

Bras en extension maximale
Poings serrés
Épaules étirées le plus possible vers l'arrière
Dos droit
Pieds fléchis
Jambes en extension maximale

Description

Assis, bras en élévation à 45°, jambes écartées à 45° : étirez ainsi bras et jambes pendant 15 secondes en inspirant par le nez et en expirant par la bouche le plus lentement possible. Décontractez-vous pendant une douzaine de secondes avant de recommencer.

Répétition

Faites 3 postures.

Variante

Pratiquez la même technique avec les membres serrés. À répéter 3 fois.

Le conseil du professionnel :

Gardez bien toute la colonne vertébrale et les bras en contact avec le mur durant l'étirement.

Question

Peut-on surélever le bassin avec un petit coussin pour réaliser cette technique ?

Réponse

Oui, si vous vous sentez mieux !

Sports et calories
pour 15 minutes de pratique !

Vous aimeriez pratiquer un sport en complément du stretching, mais vous désirez, avant de vous lancer, avoir une idée du nombre des calories dépensées en 15 minutes.
Voici quelques exemples :
- La gymnastique aquatique fait dépenser 155 calories. C'est une discipline agréable, sans inconvénient pour les articulations.
- La natation fait consommer à peu près 200 calories. Elle est à pratiquer sous la surveillance d'un professeur si vous n'êtes pas un grand nageur (on peut en effet souffrir de tensions dorsales si les mouvements sont mal exécutés).
- Le vélo : il permet d'éliminer 150 calories. C'est un excellent sport.

Testez vos notions de diététique
Quel pourcentage d'eau le melon contient-il ?
a) 90 %
b) 95 %
c) 98 %

· ·

Réponse : a) 90 % d'eau et, en faible quantité, des protides, des lipides et des glucides. Il comporte aussi des vitamines A et C.

Séance détaillée du vendredi

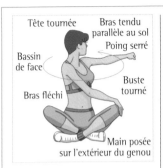

Tête tournée — Bras tendu parallèle au sol — Poing serré — Bassin de face — Buste tourné — Bras fléchi — Main posée sur l'extérieur du genou

Le conseil
du professionnel :

Évitez de contracter
les jambes pendant
la rotation ; essayez
au contraire de les
garder décontractées
en permanence.

Question

Peut-on fléchir le bras parallèle au sol ?

Réponse

Oui ! Toutefois, veillez à bien conserver la pose en extension de tout le corps. La posture avec le bras tendu permet de mieux stabiliser le corps.

**Testez vos notions
de diététique**

Vers quelles années est apparu le régime Weight Watchers ?
a) les années 1960
b) les années 1970
c) les années 1980

· ·

Réponse : a) dans les années 1960. Il consiste en un régime hypocalorique avec des réunions où l'on exprime difficultés et résultats.

Posture 2
Rotation de la taille

Description

Assis (en tailleur de préférence), la main droite posée sur le genou gauche : étirez au maximum le bras gauche et le buste vers la gauche pendant 8 secondes en expirant doucement par la bouche. Inspirez par le nez en revenant lentement de face. Décontractez-vous complètement pendant une dizaine de secondes avant d'inverser la posture.

Répétition

Faites 4 postures alternées.

Variante

Réalisez la même posture avec les jambes tendues et écartées. À répéter 4 fois.

Parlons massages...

Il est impossible d'ignorer les bienfaits des massages lorsqu'on pratique régulièrement une activité sportive. Les techniques de base permettent de détendre, de tonifier ou d'assouplir la zone cutanée, sous-cutanée, aponévrotique, les nerfs, les muscles, les tendons.

Chaque technique de massage a un rôle précis.
Les diverses techniques de massages sont :
- l'effleurage correspondant à des pressions glissées superficielles (à but analgésique) ;
- des pressions glissées profondes (qui sont pratiquées pour les drainages lymphatiques) ;
- les pressions statiques (pour améliorer la circulation) ;
- le pétrissage superficiel (correspondant à un malaxage des tissus sous-jacents) ;
- le pétrissage profond (pour détendre la masse musculaire) ;
- les frictions (mobilisation des tissus les uns par rapport aux autres) ;
- et les vibrations (qui consistent en des techniques de percussions et d'ébranlements).

Posture 3
Flexion avant du corps

Bras fléchis (ou tendus en cas de manque de souplesse)
Dos plat
Tête relâchée
Jambe avant tendue
Coudes dirigés vers le haut
Jambe arrière semi-fléchie
Talons à plat sur le sol
Mains sur le sol

Description

Debout, le talon du pied droit devant les orteils du pied gauche, la jambe gauche fléchie au maximum : fléchissez ainsi le plus possible le corps vers l'avant pendant 10 secondes en inspirant par le nez et en expirant par la bouche le plus doucement possible. Relevez-vous très lentement également pendant 10 secondes en pratiquant le même rythme respiratoire. Veillez à dérouler vertèbre par vertèbre.
Décontractez-vous complètement pendant une douzaine de secondes avant de recommencer.

Répétition

Faites 4 postures alternées.

Variante

Pratiquez la même technique en croisant les pieds. À répéter 4 fois en inversant la position des pieds à chaque fois.

Le conseil du professionnel :

Fléchissez la jambe arrière, sans décoller le talon avant.

Question

Si les mains ne touchent pas le sol, vaut-il mieux les laisser pendre devant soi ou attraper ses genoux ?

Réponse

Il vaut mieux attraper ses jambes et tenter de gagner les chevilles centimètre par centimètre.

Diététique et athérosclérose

L'athérosclérose résulte de l'épaississement et du durcissement de la paroi des artères par des plaques d'athérome (dépôts riches en cholestérol).

Les conseils des spécialistes : ils recommandent en règle générale de limiter la consommation des aliments contenant trop de graisses (notamment des charcuteries ou des viandes grasses), d'éviter le tabac, de manger des poissons gras (qui contiennent les bonnes graisses), de supprimer l'alcool et d'absorber de préférence des aliments contenant des antioxydants (telles les vitamines C, E, le silicium, le magnésium). Le pain complet, les épinards, le chou, le céleri, le cresson, les haricots blancs, l'ananas, le persil, le kiwi, les céréales complètes sont, entre autres, des aliments à consommer de préférence.

Testez vos notions de diététique
Quel est le principe de base du régime Atkins ?
a) supprimer tous les glucides
b) supprimer tous les lipides
c) réduire au maximum lipides et glucides

• •

Réponse : a) supprimer tous les glucides (aussi bien ceux à index glycémique élevé que ceux à index glycémique faible).

Séance détaillée du vendredi

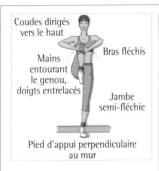

Coudes dirigés vers le haut

Bras fléchis

Mains entourant le genou, doigts entrelacés

Jambe semi-fléchie

Pied d'appui perpendiculaire au mur

Le conseil du professionnel :

Ramenez le plus possible le genou contre la poitrine en fléchissant les bras au maximum sans fléchir le buste vers l'avant.

Question

Peut-on réaliser cette technique sans s'appuyer contre un mur ?

Réponse

Oui ! N'oubliez cependant pas de conserver la jambe d'appui en demi-flexion. Cela est beaucoup plus difficile !

Testez vos notions de diététique

Quel est le poids idéal pour une femme mesurant 1,68 m ?

a) 54 kg

b) 59 kg

c) 63 kg

∙∙∙∙∙∙∙∙∙∙∙∙∙∙∙∙∙∙∙∙∙∙∙∙∙∙∙

$$\frac{\text{taille (cm)} - 100}{\text{(taille en cm)}}$$

: de Sporentz

Réponse : b) 59 kg selon la formule

Posture 4
Assouplissement de la cuisse

Description

Debout, adossé à un mur, ramenez la jambe fléchie le plus possible vers vous et vers le haut en expirant lentement par la bouche durant 8 secondes. Inspirez par le nez en reposant doucement la jambe. La jambe d'appui est semi-fléchie. Décontractez-vous complètement pendant une dizaine de secondes avant d'inverser la position.

Répétition

Faites 4 postures alternées.

Variante

Réalisez la même posture en fléchissant le plus possible la jambe d'appui.
À répéter 4 fois en alternance.

Mangez des pâtes la veille de vos entraînements sportifs !

Les pâtes sont le plat préféré des marathoniens.
Jetez les pâtes dans une eau en ébullition. Si ce sont des pâtes fraîches : faites-les cuire de six à huit minutes. Si elles ne le sont pas : une dizaine de minutes. L'astuce : n'oubliez pas de mettre un peu d'huile dans l'eau. Cela évite à l'eau de déborder et aux pâtes de s'agglutiner.
Pour 100 g, les pâtes ordinaires contiennent : 60 g d'eau, 5,9 g de protides, 1,9 g de lipides, 30 g de glucides, et correspondent à environ 140 calories.
Les pâtes sont un aliment intéressant en raison de leur richesse en glucides complexes qui se consomment au fur et à mesure des sollicitations physiques.
Il importe seulement de ne pas les accompagner de sauces grasses, lourdes et indigestes.

Anti-douleur : faites le bon choix !

Entre l'aspirine, le paracétamol et l'ibuprofène, il est difficile de se décider, car tous les trois luttent efficacement contre la douleur et la fièvre.

Comme tout produit, ils ne doivent pas être pris sans précaution. Aussi vaut-il mieux demander conseil à un médecin dans le cas de prises régulières.

Ainsi, le paracétamol est un analgésique antipyrétique, il a pour effet de lutter contre la fièvre et la douleur ; l'aspirine, elle, a en plus une action anti-inflammatoire. Quant à l'ibuprofène, c'est un anti-inflammatoire non stéroïdien à doses assez fortes, qui peut être employé comme analgésique à faibles doses.

L'aspirine a des effets secondaires comme, entre autres, des brûlures au niveau des intestins, des dommages au niveau des reins, un effet anti-agrégant plaquettaire (de ce fait, il limite la formation des caillots) et favorise des gastralgies, voire des ulcères.

Il faut savoir qu'à partir de 10 g de paracétamol absorbé en une seule fois, on constate un endommagement au niveau des reins et du foie chez un sujet adulte. Le paracétamol est parfois recommandé après un match, un entraînement inhabituel, afin de minorer les sensations musculaires douloureuses dues aux courbatures.

Attention : l'aspirine, l'ibuprofène et les anti-inflammatoires sont à éviter les trois premiers mois de grossesse et à supprimer les quatre derniers mois.

Conseil

Ne dépassez pas les doses prescrites.
Les spécialistes conseillent, par exemple, pour l'aspirine :
• **Dose enfant :**
- 6 à 10 ans : 250 mg toutes les 4 heures, le maximum conseillé par jour est de 1 500 mg.
- 10 à 13 ans : 500 mg toutes les 6 heures, le maximum conseillé par jour est de 2 000 mg.
- 12 à 15 ans : 500 mg toutes les 4 heures, le maximum conseillé par jour est de 3 000 mg.
• **Adultes :**
500 mg à 1 000 mg toutes les 4 à 6 heures, le maximum conseillé par jour est de 3 000 mg.
• **Personnes âgées :**
le maximum conseillé par jour est de 2 000 mg.

Programme du samedi en 15 minutes

Posture 1
Étirement des épaules
Faire 3 étirements de 8 secondes chacun.

Posture 2
Rotation du tronc
Faire 4 postures alternées de 15 secondes chacune.

Posture 3
Flexion du buste sur une jambe tendue
Faire 4 étirements alternés de 8 secondes chacun.

Posture 4
Assouplissement des adducteurs
Faire 3 étirements de 15 secondes chacun.

N'oubliez pas de vous décontracter complètement en respirant le plus lentement possible entre chaque posture.

Relevez-vous lentement en expirant par la bouche en fin de séance.

La description détaillée de ces techniques se trouve dans les pages suivantes.

Séance détaillée du samedi

Posture 1
Étirement des épaules

Description

Debout : fléchissez le buste vers l'avant, doigts entrelacés derrière la nuque. Étirez au maximum les coudes vers l'arrière pendant 8 secondes en expirant longuement par la bouche. Inspirez par le nez en vous redressant entièrement, le dos rond, le plus lentement possible.
Décontractez-vous complètement pendant une douzaine de secondes avant de recommencer.

Répétition

Faites 3 postures.

Variante

Réalisez la même posture avec les jambes fléchies et très écartées.
À répéter 3 fois.

Doigts entrelacés derrière la nuque
Dos plat parallèle au sol
Mains sur la nuque
Jambes tendues et légèrement écartées
Pieds parallèles

Le conseil du professionnel :

Ne creusez surtout pas le dos ; il doit rester parfaitement plat.

Question

Peut-on réaliser cette technique jambes écartées et en appui sur les orteils ?

Réponse

Oui ! Toutefois, cette variante est assez difficile, même si elle est extrêmement efficace au niveau du stretching.

Testez vos notions de diététique

Quelles sont les vitamines que l'on trouve dans les œufs ?
a) A, B1, D, E
b) A1, B1, B2, D, E
c) A, B2, C, D

• •

Réponse : b) A, B1, B2, D et E,
ainsi que des protéines et des sels
minéraux (calcium, phosphore, fer,
iode, sodium, potassium).

Les aliments qui favorisent le bronzage

Privilégiez la consommation de l'abricot sec qui contient 18 mg environ de bêtacarotène ! Les carottes, les épinards, les brocolis, le pamplemousse rose, le persil, la tomate, le potiron, la pomme de terre et le poivron rouge sont également des aliments pouvant aider votre organisme à mieux se prémunir contre les rayons ultraviolets.

Les caroténoïdes (entre autres le bêtacarotène, la lutéine, l'alphacarotène, la lycopène, la cryptoxanthine) sont en permanence dans le plasma sanguin. Ils sont antiradicalaires, antioxydants et favorisent la synthèse de la mélanine (filtre naturel des rayons ultraviolets).

Conclusion : plus le corps contient de caroténoïdes et plus on réduit les risques liés aux expositions solaires prolongées. Ainsi, l'été, au petit déjeuner, n'oubliez pas de consommer tous les jours deux ou trois abricots secs !

Séance détaillée du samedi

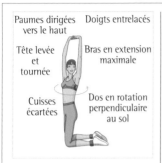

Paumes dirigées vers le haut
Doigts entrelacés
Tête levée et tournée
Bras en extension maximale
Cuisses écartées
Dos en rotation perpendiculaire au sol

Le conseil
du professionnel :

Veillez à conserver
le bassin de face.

Question

Doit-on écarter les genoux au maximum ?

Réponse

Cela n'est pas une obligation, car le but de cette posture est l'assouplissement de la taille. Vous pouvez cependant augmenter la difficulté en écartant au maximum les jambes.

Testez vos notions
de diététique
Dans le régime dissocié, il convient
de ne pas associer :
a) les amidons et les légumes
b) les protéines et les légumes
c) les protides entre eux

. . . .

Réponse : c) les protides entre eux.

Posture 2
Rotation du tronc

Description

À genoux : élevez vos bras à la verticale. Réalisez ensuite une rotation maximale du tronc pendant 15 secondes en inspirant par le nez et en expirant par la bouche doucement. Décontractez-vous complètement pendant une dizaine de secondes avant d'inverser la position.

Répétition

Faites 4 postures alternées.

Variante

Réalisez la même technique en fléchissant les bras. À répéter 4 fois.

Qu'est-ce que le qi-gong ?

C'est littéralement le « travail de l'énergie ». Son but est la recherche de mobilisation d'énergie dans le corps afin d'accroître sa vitalité.
C'est en quelque sorte une gymnastique posturale basée sur la concentration et le contrôle de la respiration.
Le rythme de réalisation des techniques est lent et présente l'avantage de bien assouplir les articulations.
Le qi-gong permet d'améliorer l'équilibre, d'apprendre à se maîtriser et à se concentrer.
Il peut être pratiqué par tous, sauf par les personnes souffrant d'arthrose aux genoux ou ne supportant pas les longues stations debout.
Aucun diplôme d'État ne s'applique à l'enseignement de cette discipline ; ainsi, la qualité des séances ne peut se révéler qu'avec le temps.

Posture 3
Flexion du buste sur une jambe tendue

Description

À genoux, tendez une jambe devant vous (dans le plan de son articulation) : étirez ainsi le dos en plaçant les bras devant vous dans l'axe de la jambe tendue pendant 8 secondes en expirant par la bouche. Inspirez par le nez en vous redressant entièrement et lentement, le dos rond.

Décontractez-vous complètement pendant une dizaine de secondes avant d'inverser la position.

Répétition :

Faites 4 postures alternées.

Variante :

Réalisez la même technique avec la plante du pied de la jambe en extension sur le sol.
À répéter 4 fois en alternance.

Doigts serrés en extension
Bras tendus et parallèles

Pied avant en flexion
Jambe avant tendue
Dessus du pied en contact avec le sol

Le conseil du professionnel :

Écartez suffisamment les jambes, même si cela paraît beaucoup plus difficile.

Question

Peut-on désaxer un peu les jambes afin de mieux conserver son équilibre ?

Réponse

Un peu : oui ! Toutefois, la posture de base se réalise avec les jambes dans deux plans parallèles.

À essayer : une séance de shiatsu !

Le shiatsu est une technique à base de pressions de points appelés tsubos. Ces points, à l'intersection des vaisseaux sanguins, lymphatiques et des glandes du système endocrinien, sont situés sur des trajets énergétiques.

Le shiatsu consiste à exercer des pressions plus ou moins intenses sur les points considérés. La méthode est proche de l'acupuncture et vise à un rééquilibrage des circuits énergétiques. La technique se pratique sur un patient en position allongée, sur le ventre ou le dos, sur le côté, ou assis, par un thérapeute qui utilise aussi bien ses doigts, ses coudes, ses genoux que… ses pieds.

Soyez vigilant avant de faire confiance à un praticien car il n'est pas nécessaire d'être médecin pour exercer.

Testez vos notions
de diététique
Le sélénium est :
a) un oligoélément
b) un antioxydant
c) un radical libre

• •

Réponse : a) et b) Le sélénium est un oligoélément et un antioxydant.

Séance détaillée du samedi

Épaules étirées vers l'arrière — MUR — Pieds en flexion

Jambes tendues au maximum

Le conseil du professionnel :

Avant tout, fixez une ligne verticale et élevez vos jambes avec progression : ne cherchez pas à les tendre tout de suite.

Question

Est-il préférable d'élever une jambe puis l'autre ?

Réponse

Non ! Afin de conserver au mieux son équilibre, il est conseillé d'élever les jambes simultanément.

Testez vos notions de diététique

Quelles sont les fibres solubles dans l'eau utilisées dans certains produits alimentaires ?

a) la lignine, les pectines, les gommes

b) les gommes, le son d'avoine, la cellulose, l'hémicellulose

c) les gommes, les pectines, le son d'avoine, les alginates, le psyllium

• • • • • • • • • • • • • • • • • • • •

textrue épaississante.

Réponse : c) On les utilise comme

Posture 4
Assouplissement des adducteurs

Description

Assis, adossé à un mur, jambes écartées en élévation : place vos pieds sur deux supports, puis tendez les jambes. Écartez les bien, tout en les tirant vers l'arrière avec les mains. Maintenez l'extension maximale pendant 15 secondes en inspirant par le nez et en expirant par la bouche le plus lentement possible avec les mains sur les hanches.

Décontractez-vous complètement pendant 30 secondes avant de recommencer en écartant un peu plus les supports.

Répétition

Faites 3 postures.

Variante

Réalisez la même posture sans vous adosser à un mur avec les pieds en extension.

À répéter 3 fois.

Dépenses caloriques

Yoga : 100 cal/h	Golf : 100 cal/h
Tennis de table : 200 cal/h	Gymnastique traditionnelle : 360 cal/h
Vélo : 360 à 900 cal/h	Modern jazz : 400 cal/h
Équitation : 420 cal/h	Musculation : 450 cal/h
Boxe : 500 cal/h	Jogging : 550 cal/h
Tennis : 600 cal/h	Vélo : 600 cal/h
Saut à la corde : 700 cal/h	Football : 700 cal/h
Roller : 800 cal/h	Basket-ball : 850 cal/h
Squash : 900 cal/h	

Bien sûr, ces chiffres ne sont qu'indicatifs et sont basés sur une estimation de séance d'efforts assez soutenus, non réalisés par des professionnels.

Programme d'un mois

Quatrième semaine

Programme du lundi en 15 minutes

Posture 1
Extension générale du corps
Faire 4 postures alternées de 8 secondes chacune.

Posture 2
Flexion latérale du buste
Faire 4 postures alternées de 15 secondes chacune.

Posture 3
Rotation du buste
Faire 4 postures alternées de 15 secondes chacune.

Posture 4
Écart des jambes
Faire 4 postures alternées de 20 secondes chacune.

N'oubliez pas de vous décontracter complètement en respirant le plus lentement possible entre chaque posture.

Relevez-vous lentement en expirant par la bouche en fin de séance.

La description détaillée de ces techniques se trouve dans les pages suivantes.

Posture 1
Extension générale du corps

Doigts serrés en extension, paumes devant soi

Bras tendu à la verticale touchant le mur

Coude dirigé vers le haut

Dos plaqué contre le mur (si possible dans sa totalité)

Pied fléchi

Jambe en extension maximale

Orteils en extension

Description

Debout, adossé à un mur, en équilibre sur les orteils : ramenez avec la main droite la jambe droite en flexion vers la poitrine. Élevez le bras gauche à la verticale. Étirez-vous ainsi pendant 8 secondes en expirant par la bouche. Reposez lentement la jambe en élévation sur le sol en inspirant par le nez. Décontractez-vous pendant une dizaine de secondes avant d'inverser la position.

Répétition

Faites 4 postures alternées.

Variante

Réalisez la même posture en inversant simplement la position des bras et sans prendre appui contre le mur.

Le conseil du professionnel :

Tout le corps doit être en contact avec le mur.

Question

Le genou de la jambe fléchie doit-il absolument toucher la poitrine ?

Réponse

Oui, car il importe de bien étirer l'arrière de la cuisse, ainsi qu'une partie de la région lombaire sur le sol.

Consommez des sucres lents la veille de réaliser un effort physique

Pâtes, riz, pain... sont les garants d'une bonne qualité d'entraînement (quel qu'il soit : jogging, danse, natation, etc.). Les fruits secs sont également les bienvenus dans le régime du sportif.
Si votre séance est très longue et très intense (préparation au marathon, par exemple), vous pouvez réactiver votre énergie en prenant des sucres rapides, toutes les demi-heures par exemple.
Il faut également savoir bien doser l'apport énergétique par rapport à l'effort, afin d'éviter de faire des réserves graisseuses inutiles. Il convient aussi de penser au repas de récupération après l'effort, qui doit être léger, équilibré et surtout pris lentement.

Testez vos notions de diététique
L'orange est originaire de :
a) Espagne
b) Chine
c) Maroc

• •

Réponse : b) L'orange est originaire de Chine et n'est apparue en Europe que lors des premières croisades en Palestine. Elle n'a été plus connue qu'au XVe siècle.

Séance détaillée du lundi

Doigts serrés en extension

Bras tendus

Pied fléchi

Jambes tendues

Pied parallèle au support

Le conseil du professionnel :

La jambe d'appui et la jambe sur le support doivent être à angle droit.

Question

Peut-on placer le pied de la jambe d'appui en ouverture ?

Réponse

Oui! Cette variante ne constitue pas une erreur, mais, dans le cadre de cette position, ce ne sont pas exactement les mêmes fibres musculaires qui sont étirées.

Testez vos notions de diététique

Un bâtonnet de glace à la vanille enrobé de chocolat équivaut à :
a) 200 calories
b) 250 calories
c) 800 calories

••••••••••••••••••••••••••••••••

Réponse : b) 250 calories.

Posture 2
Flexion latérale du buste

Description

Debout, une jambe posée en totalité sur un support (table, meuble…). Fléchissez latéralement le buste sur la jambe. Maintenez l'extension maximale durant 15 secondes en inspirant par le nez et en expirant par la bouche le plus doucement possible.
Décontractez-vous complètement pendant une dizaine de secondes avant d'inverser la position.

Répétition

Faites 4 postures alternées.

Variante

Réalisez la même posture en écartant la jambe au maximum du support d'appui. À répéter 4 fois.

Est-il difficile d'éviter d'être ballonné après un repas ? Peut-être pas...

Vous avez sans doute constaté que votre ventre était gonflé après avoir consommé de la nourriture. Rassurez-vous, la plupart d'entre nous souffrent de cet inconvénient. Ces malaises proviennent en partie de flatulences abdominales (les gaz intestinaux sont issus de la nourriture ingurgitée et de l'air avalé). Ainsi, il convient d'éviter certains légumes comme les choux, les artichauts, les avocats, les salsifis, les pruneaux. N'abusez pas non plus des céréales, du pain complet ou frais… En résumé, optez pour un régime allégé en sucre, sans excès de yaourts ou fromage blanc et sans boisson gazeuse.

Pensez également à :
- éviter de trop boire en mangeant;
- ne pas fumer lors des repas;
- ne pas manger trop vite;
- ne pas absorber trop de nourriture à chaque repas.

Posture 3
Rotation du buste

Épaules
haussées
et étirées
vers l'arrière

Dos en
rotation

Pied
parallèle
au
support

Doigts entrelacés

Paumes tournées
à l'extérieur

Pied en flexion

Jambes tendues
à angle droit
entre elles

Description

Debout, bras en élévation, une jambe entièrement posée latéralement sur un support, réalisez une rotation latérale du corps. Maintenez l'extension maximale pendant 15 secondes en inspirant par le nez et en expirant par la bouche le plus doucement possible.

Décontractez-vous complètement pendant une dizaine de secondes avant d'inverser la position.

Répétition

Faites 4 postures alternées.

Variante

Réalisez la même posture avec les bras tendus en croix (les épaules étant étirées au maximum vers l'arrière).
À répéter 4 fois.

Le conseil du professionnel :

Ayez toujours à l'esprit pendant toute la réalisation de la posture d'étirer au maximum votre corps vers le haut.

Question

Peut-on placer la jambe sur un support assez haut afin d'assouplir encore plus les jambes en même temps que la taille ?

Réponse

Si vous êtes un peu expérimenté, on ne peut que vous le conseiller.

Qu'est-ce qu'un additif ?

C'est une substance chimique ajoutée à un aliment. Il existe en France plus de 300 additifs (aux États-Unis, on en comptabilise plus de 3000). Ce sont des agents colorants, des agents conservateurs, des anti-oxygène, des agents de fabrication pour rendre l'aliment plus fluide ou plus ferme, des agents organoleptiques (capables d'impressionner un récepteur sensoriel) aromatisants et des agents visant l'augmentation de la saveur de l'aliment.

On les distingue grâce à la lettre E suivie d'un nombre de trois chiffres sur les étiquetages.

Certains additifs ne sont pas indiqués sur les étiquetages.

L'Académie de médecine, le Service de répression des fraudes et le Conseil supérieur d'hygiène publique se chargent de la surveillance de ces produits.

Le premier texte légiférant sur l'alimentation date de 1905.

Testez vos notions de diététique

Les lipides polyinsaturés sont composés d'atomes de carbone reliés par :

a) une double liaison

b) deux ou plusieurs doubles liaisons

c) trois doubles liaisons

•••••••••••••••••••••••••••••

Réponse : b) deux ou plusieurs doubles liaisons.

Séance détaillée du lundi

Paumes tournées vers le haut
Doigts entrelacés
Jambe fléchie
Dos droit
Jambe en extension maximale
Mollet perpendiculaire au support

Le conseil du professionnel :

Dans la position de départ, la jambe d'appui est contre le support et s'éloigne au fur et à mesure. Le talon de la jambe fléchie touche l'intérieur de l'autre jambe.

Question

Le buste et les bras doivent-ils toujours rester perpendiculaires au sol, pendant toute la durée de la technique ?

Réponse

Oui ! Cela est essentiel.

Testez vos notions de diététique

Quelle est la céréale la plus consommée dans le monde ?
a) le maïs
b) le blé
c) le riz

•••••••••••••••••••••••••••

planète.

mées par la population de la

des calories alimentaires consom-

Réponse : c) le riz. Il fournit la moitié

Posture 4
Écart des jambes

Description

Debout, bras en élévation, un pied sur un support. Écartez la jambe d'appui du support. Maintenez l'écart maximal pendant 20 secondes en inspirant par le nez et en expirant par la bouche le plus doucement possible.
Décontractez-vous complètement pendant une dizaine de secondes avant d'inverser la position.

Répétition

Faites 4 postures alternées.

Variante

Réalisez la même technique en plaçant le pied de la jambe d'appui en ouverture.

L'avènement du sport féminin

Étonnant : en 1955, Ernest Loisel écrivait qu'il fallait exclure de l'éducation physique, entre autres, les exercices d'attaque et de défense : les féministes n'étaient pas encore reconnues à l'époque. Pourtant, un précurseur, Madeleine Pelletier (née en 1874) essaie de faire changer les idées sur le sport féminin et permet, par ses actions, de réduire l'inégalité des sexes en ce domaine. La plupart des ouvrages relatifs à l'évolution du sport féminin reconnaissent l'influence positive qu'a eue Élisabeth d'Autriche (Sissi) dans ce domaine. Cette femme exceptionnelle se livrait à des exercices physiques et pratiquait le cheval d'arçon et les barres parallèles, ce qui était absolument révolutionnaire pour son époque.
Une anecdote amusante : en 1928, le docteur Marcel Gommes écrit « La Gymnastique ménagère » afin de promouvoir l'activité physique au travers de l'activité du ménage. Sans commentaires…
En résumé, la véritable reconnaissance du sport féminin public est récente, elle ne date que d'une trentaine d'années. Elle a souvent été mise en exergue par les émissions de télévision, comme quoi cette dernière peut avoir de temps en temps une influence positive !

Pour être en forme, choisissez la bonne eau !

EAUX	SODIUM	CALCIUM	MAGNÉSIUM
Vichy Saint-Yorre Déconseillée si on est sujet à une rétention d'eau sodée.	1744 mg/l	78 mg/l	9 mg/l
Volvic Recommandée pour les biberons, l'élimination rénale et la grossesse.	9,5 mg/l	110 mg/l	6 mg/l
Thonon Aide la digestion et l'élimination rénale. Recommandée pour les biberons.	5 mg/l	103 mg/l	16 mg/l
Salvetat A la réputation de consolider les os après une fracture.	7 mg/l	295 mg/l	15 mg/l
Perrier Aide à digérer.	14 mg/l	14,5 mg/l	3 mg/l
Évian Action diurétique. Aide la digestion. Recommandée pour les biberons.	5 mg/l	78 mg/l	24 mg/l
Badoit Aide au renforcement des os après fracture. A la réputation de combattre la carie. Aide à digérer.	171 mg/l	200 mg/l	100 mg/l
Vittel A la réputation de prévenir les calculs rénaux.	3,8 mg/l	202 mg/l	36 mg/l
Contrex Recommandée dans le cadre de régimes hypocaloriques. Aide les reins à éliminer.	7 mg/l	467 mg/l	84 mg/l
Vichy Célestins Aide à digérer. Déconseillé si on est sujet à une rétention d'eau sodée.	1265 mg/l	90 mg/l	9 mg/l
San Pellegrino Aide à digérer.	41 mg/l	206 mg/l	58 mg/l

Programme du mardi en 15 minutes

Posture 1
Étirement dorsal
Faire 4 étirements de 20 secondes chacun.

Posture 2
Étirement de la taille
Faire 4 étirements alternés de 15 secondes chacun.

Posture 3
Souplesse des poignets
Faire 3 étirements de 15 secondes chacun.

Posture 4
Écart des jambes fléchies
Faire 4 étirements de 12 secondes chacun.

N'oubliez pas de vous décontracter complètement en respirant le plus lentement possible entre chaque posture.

Relevez-vous lentement en expirant par la bouche en fin de séance.

La description détaillée de ces techniques se trouve dans les pages suivantes.

Posture 1
Étirement dorsal

Description

Allongé sur le dos, les jambes en appui sur un siège (tabouret, chaise, etc.) : étirez au maximum les bras dans le prolongement du corps pendant 20 secondes en inspirant par le nez et en expirant par la bouche le plus lentement possible. Décontractez-vous pendant une dizaine de secondes avant de recommencer.

Répétition

Faites 4 postures.

Variante

Pratiquez la même technique avec les jambes et les bras écartés.

Mollets complètement
au repos sur le support

Arrière des cuisses
perpendiculaire
au sol

Bras parallèles dans le
prolongement du corps
Doigts serrés en extension
Paumes dirigées vers le haut

Le conseil du professionnel :

Ayez bien le creux des genoux (creux poplité) en contact avec le bord du siège.

Question

Le dessus des mains doit-il être décollé du sol ?

Réponse

De préférence, non ! Toute la surface des membres supérieurs doit être en contact avec le sol et, par conséquent, le dessus des mains aussi.

Conserver une forme intellectuelle, c'est :

- Regarder une émission de télévision et essayer de l'analyser en se remémorant les différentes étapes.
- Lire le plus possible et avoir une réflexion à la suite de ces lectures.
- Discuter le plus possible en groupe.
- S'inscrire pour des activités collectives afin de multiplier les échanges.
- Faire des mots croisés à ses moments perdus.
- Sortir au maximum pour voir des spectacles, des films ou des pièces de théâtre, etc.
- S'inscrire, en fonction de ses goûts, à une activité sportive faisant intervenir la réflexion ou la coordination gestuelle (que l'on perd très vite avec l'âge).
- Bien dormir afin d'avoir les idées le plus claires possible.
- Voyager en groupe le plus souvent possible.
- Étudier régulièrement une langue étrangère, afin de développer une autre forme de gymnastique intellectuelle.

Testez vos notions de diététique

L'asperge est une plante consommée depuis :
a) 500 ans
b) 1 000 ans
c) 2 000 ans

. . . .

Réponse : c) 2 000 ans. Elle fut en effet cultivée par les Égyptiens. C'est toutefois Louis XIV qui la rendit populaire chez nous.

Séance détaillée du mardi

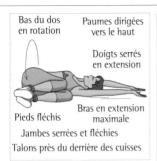

Bas du dos en rotation
Paumes dirigées vers le haut
Doigts serrés en extension
Bras en extension maximale
Pieds fléchis
Jambes serrées et fléchies
Talons près du derrière des cuisses

Le conseil du professionnel :

Les épaules ne doivent absolument pas se décoller du sol.

Question

Les genoux doivent-ils toucher le sol ?

Réponse

Si possible, oui ! Mais sans décoller les genoux l'un de l'autre.

Posture 2
Étirement de la taille

Description

Allongé sur le dos, bras dans le prolongement du corps, genoux ramenés vers la poitrine : ramenez les jambes sur un côté. Maintenez la posture de rotation maximale pendant 15 secondes en inspirant par le nez et en expirant par la bouche le plus lentement possible. Décontractez-vous pendant une dizaine de secondes avant d'inverser la position.

Répétition

Faites 4 postures alternées.

Variante

Réalisez la même technique en tendant les jambes.

Testez vos notions de diététique

Quelle est la vitamine indispensable à l'entretien des membranes cellulaires ?
a) D
b) A
c) E

Réponse : c) E. On la trouve dans les feuilles et les germes de blé, noix, les œufs, les légumes verts à

Posture 3
Souplesse des poignets

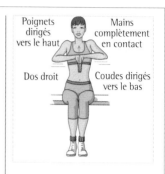

Poignets dirigés vers le haut — Mains complètement en contact

Dos droit — Coudes dirigés vers le bas

Description

Debout ou assis, joignez vos mains, doigts dirigés vers le bas : montez ainsi les poignets le plus haut possible sans décoller les paumes. Maintenez l'étirement maximal durant 15 secondes en inspirant par le nez et en expirant par la bouche le plus doucement possible.

Décontractez-vous complètement pendant une dizaine de secondes avant de recommencer.

Répétition

Faites 3 postures.

Variante

Réalisez la même posture avec les doigts écartés au maximum (sans toutefois décoller les paumes).

Le conseil du professionnel :

La partie externe du petit doigt doit être en permanence en contact avec le sternum.

Question

Doit-on privilégier le serrage des paumes en permanence, mais en gardant les mains moins perpendiculaires au sol, plutôt que de décoller les paumes et conserver les mains moins à angle droit ?

Réponse

Il vaut mieux ne pas décoller les paumes l'une de l'autre.

Testez vos notions de diététique

La mangue est originaire :
a) d'Asie
b) d'Inde
c) d'Afrique du Sud

• •

Réponse : a) d'Asie. On la connaît depuis 6 000 ans. Elle contient, entre autres, de la vitamine C, de la vitamine A et du potassium.

Remèdes et lombalgie

Bonne nouvelle : 90 à 95 % des lombalgies aiguës disparaissent au bout de quelques semaines. En revanche, les 5 à 10 % restantes continuent leur évolution pendant plus de deux mois.

Les praticiens recommandent en général pour les traiter des anti-inflammatoires non stéroïdiens avec des antalgiques. Certains y associent des myorelaxants.

Quant à l'utilisation des infiltrations épidurales contenant des dérivés de cortisone, elle est plutôt rare et conseillée en dernier recours.

Des interventions chirurgicales peuvent également être indiquées si la thérapie médicamenteuse n'a donné aucun résultat (elle ne concerne que les lombosciatiques liées à des hernies discales molles).

La chimionucléolyse (une enzyme est introduite dans le noyau discal et le détruit) peut être la solution pour certains cas de hernie.

Séance détaillée du mardi

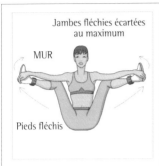

Jambes fléchies écartées au maximum

MUR

Pieds fléchis

Question

La posture est-elle plus facile à réaliser si l'on tire également les jambes vers l'arrière ?

Réponse

Théoriquement oui ! Cela rend également la technique plus efficace. Mais il importe de bien écarter et tirer vers l'arrière les jambes symétriquement.

Testez vos notions de diététique

La saccharine a un pouvoir sucrant supérieur à celui du saccharose. De combien de fois ?

a) 60 fois
b) 200 fois
c) 400 fois

• • • • • • • • • • • • • • • • • • • •

et dans beaucoup d'édulcorants.
dans les boissons non alcoolisées.
Réponse : c) 400 fois. On la retrouve

Posture 4
Écart des jambes fléchies

Description

Assis, adossé contre un mur : écartez en élévation vos jambes fléchies en tenant vos pieds avec vos mains. Maintenez la posture en écart maximal pendant 12 secondes en inspirant par le nez et en expirant par la bouche le plus doucement possible.
Décontractez-vous complètement pendant une quinzaine de secondes avant de recommencer.

Répétition

Faites 4 postures.

Variante

Réalisez la même posture avec les pieds en extension.

Info cholestérol

Teneur en cholestérol de quelques aliments :

Huîtres 2 g/kg	Pommes de terre 0,02 g/kg
Moules 0, 23 g/kg	Endives 0,04 g/kg
Merlan 0, 20 g/kg	Betteraves 0,005 g/kg
Foie 1, 40 g/kg	Poireaux 0,009 g/kg
Viandes maigres 0,35 g/kg	Carottes 0,012 g/kg
Cervelle de veau 19 g/kg	Épinards 0,04 g/kg

En conséquence, surveillez votre alimentation si votre taux de cholestérol est trop important. En effet, le cholestérol en excès peut constituer un facteur de risque de l'athérosclérose. L'athérosclérose, affection dégénérative des artères associant les lésions de l'artériosclérose (maladies des artères les rigidifiant) et de l'athérome (dégénérescence graisseuse de la tunique interne des artères), a pour origine l'augmentation du taux des lipides dans le sang. Elle peut se manifester à n'importe quel âge et se traduire par des troubles cardio-vasculaires.

Marcher, oui!
Mais pas n'importe comment!

Certes, la marche est indispensable à l'entretien du corps. Il importe cependant de bien connaître ses caractéristiques physiques avant de s'inscrire à des randonnées. Par exemple, certains sujets peuvent avoir une jambe plus courte que l'autre et ainsi un déséquilibre du bassin. Il est donc essentiel de consulter un spécialiste si vous avez le moindre doute. De même, certaines personnes reprennent trop tôt la marche alors qu'elles ne sont pas complètement guéries d'une entorse.

Si vous êtes un adepte de la marche :
- évitez toute charge (même un sac à dos) ;
- portez des chaussures confortables qui tiennent bien la cheville ;
- respirez lentement en gonflant bien la cage thoracique, surtout au début de la randonnée ;
- entamez votre marche lentement en balançant bien les bras ;
- n'oubliez pas de vous hydrater avant de partir ;
- massez-vous les pieds avec de l'huile ou du lait corporel avant d'enfiler deux paires de chaussettes (une fine et une épaisse, afin d'éviter tout risque d'ampoule).

Si vous souffrez de lombalgies, évitez la marche sur de longues distances.

Brûlons des calories!

Nous ne brûlons pas tous le même nombre de calories pour une même distance parcourue.
Par exemple, pour une distance de 1,5 km :
- **Si vous pesez 55 kg, vous brûlez 85 calories.**
- **60 kg : 90 calories.**
- **65 kg : 95 calories.**
- **70 kg : 100 calories.**
- **75 kg : 105 calories.**
- **80 kg : 110 calories.**
- **85 kg : 115 calories.**
- **90 kg : 120 calories.**
- **95 kg : 125 calories.**

Programme du mercredi en 15 minutes

Posture 1
Étirement général
Faire 4 étirements de 8 secondes chacun.

Posture 2
Souplesse avant de la taille
Faire 3 étirements de 10 secondes chacun.

Posture 3
Étirement des muscles adducteurs
Faire 4 étirements alternés de 8 secondes chacun.

Posture 4
Écart des jambes
Faire 4 étirements alternés de 20 secondes chacun.

N'oubliez pas de vous décontracter complètement en respirant le plus lentement possible entre chaque posture.

Relevez-vous lentement en expirant par la bouche en fin de séance.

La description détaillée de ces techniques se trouve dans les pages suivantes.

Posture 1
Étirement général

Description

Assis (sur une chaise ou un tabouret), bras en élévation, jambes tendues devant vous: étirez ainsi bras et jambes au maximum pendant 8 secondes en expirant par la bouche. Inspirez lentement par le nez en ramenant les membres en position normale.
Décontractez-vous complètement pendant une dizaine de secondes avant de recommencer.

Répétition

Faites 4 postures.

Variante

Réalisez la même technique en écartant les bras et les jambes.

Poings serrés
Bras en extension maximale parallèles
Épaules étirées vers l'arrière
Jambes serrées
Dos droit
Pieds en flexion

Le conseil du professionnel:

N'hésitez pas à vous adosser au siège si cela peut vous aider.

Question

Doit-on s'asseoir au bord du siège ou, au contraire, tout au fond?

Réponse

Peu importe! L'essentiel étant que votre dos soit droit et vos jambes en extension maximale, bien parallèles au sol.

Faut-il pratiquer la musculation pour avoir un corps ferme et mince?

Finie l'image négative de la musculation avec les muscles déformés et inesthétiques! Sachez qu'une pratique bien menée de cette discipline peut réellement transformer le corps et donner d'excellents résultats.
Mode d'emploi: échauffez-vous durant une vingtaine de minutes sur un appareil ergomètre (vélo, tapis roulant...), puis faites-vous établir un programme personnalisé par un professeur diplômé d'État qui vous surveillera en permanence. Ce programme devra répondre à votre attente et solliciter essentiellement les régions corporelles que vous désirez remodeler. Il doit obligatoirement se clore par des exercices d'étirements.
L'entraînement idéal: deux séances de musculation d'une heure, hebdomadaires, intercalées entre deux séances de stretching d'une heure.
La pratique régulière de la musculation, associée à une hygiène alimentaire, change rapidement le corps, le rend ferme et mince, même si le poids reste inchangé (en effet, le muscle pèse plus que la graisse).
Si vous n'avez jamais fait de musculation, votre programme doit impérativement être axé sur la tonification du dos.

Testez vos notions de diététique
Que sont les flavonoïdes?
a) des exhausteurs de goûts
b) des composés colorant les légumes, les fruits, les fleurs
c) des agents de texture

• •

Réponse: b) des composés colorant les légumes, les fruits et les fleurs.

Séance détaillée du mercredi

Dos à plat
Jambes très écartées
Pieds parallèles
Bras en extension maximale parallèles

Le conseil du professionnel :

Ne décollez pas les fessiers du siège.

Question

Comment avoir vraiment le dos plat ?

Réponse

Il faut rectifier sa position dorsale au fur et à mesure en commençant par la région lombaire, puis en redressant ensuite le reste de la colonne. Si vous avez quelques difficultés, au lieu de conserver la nuque dans le prolongement de la colonne vertébrale, relevez la tête, cela vous aidera !

Testez vos notions de diététique

Une carence en vitamine A peut causer entre autres :
a) des problèmes de peau
b) un état propice à la dépression
c) des problèmes de vue

• •

des infections.
et une vulnérabilité par rapport à
vue, ainsi que une fragilité capillaire
Réponse : c) des problèmes de

Posture 2
Souplesse avant de la taille

Description

Assis au bord d'un siège (tabouret, chaise, etc.), buste penché vers l'avant, jambes en ouverture, mains sur le sol (placez vos mains le plus loin possible devant vous sur le sol). Maintenez ainsi l'extension maximale pendant une dizaine de secondes en expirant par la bouche le plus lentement possible. Inspirez bien à fond et doucement par le nez en vous redressant très lentement.
Décontractez-vous complètement pendant une quinzaine de secondes avant de recommencer.

Répétition

Faites 3 postures.

Variante

Réalisez la même technique en tendant les jambes.

Consommez des pommes de terre !

La pomme de terre fut découverte par les Espagnols en Amérique du Sud et ne devint un légume courant en Europe qu'au XVIIe siècle. Contrairement à ce que l'on croit communément, ce n'est pas Auguste Parmentier (1737-1813) qui la fit connaître, mais l'ingénieur Fraisier qui lui trouva son nom en 1716. Il existe une grande diversité de pommes de terre. On en trouve même des noires, des violettes ou des bleues. La pomme de terre est riche en amidon, potassium, magnésium, fibres, vitamine C, vitamine B. Elle constitue un aliment de base car elle est reminéralisante et surtout énergétique, ce qui la place en bonne position dans l'alimentation des sportifs. Elle est censée faciliter l'élimination urinaire et agir bénéfiquement sur les brûlures superficielles. Elle est toutefois déconseillée aux personnes souffrant d'arthrite.
Valeur nutritive pour 100 g de pomme de terre : fibres : 1,5 g, protéines : 2,1 g, lipides : 0,1 g, glucides : 1,8 g.

Posture 3
Étirement des muscles adducteurs

Epaules étirées vers l'arrière — Pied fléchi
Buste penché
Jambe tendue au maximum
Bras tendus
Jambe dans l'axe de la cuisse
Paume en appui sur le sol

Description

À genoux, placez la main droite sur le sol, latéralement. Élevez la jambe gauche de l'autre côté en tenant le pied gauche avec la main gauche. Maintenez ainsi l'élévation maximale durant ... secondes en expirant par la bouche. Contrôlez bien l'abaissement de la jambe en inspirant doucement par le nez. Décontractez-vous complètement pendant une dizaine de secondes.

Répétition

Faites 4 postures alternées.

Variante

Réalisez la même posture en plaçant la jambe étirée devant vous et non pas sur le côté.

Le conseil du professionnel :

Pour une bonne stabilité de la posture : placez la main d'appui sur le même axe que le genou et la jambe en élévation.

Question

Peut-on prendre appui sur le sol avec les orteils pour renforcer l'équilibre de la posture ?

Réponse

Oui ! Mais veillez à bien conserver le mollet dans l'axe de la jambe.

Mieux comprendre nos articulations

Il existe trois sortes d'articulations : fixes, semi-mobiles et mobiles.
- **Les articulations fixes (appelées aussi synarthroïdales) sont celles qui réunissent, par exemple, les os du crâne (elles ne sont pas, bien sûr, sujettes à l'arthrose).**
- **Les articulations semi-mobiles (appelées aussi amphiarthroïdales) ont pour rôle de rapprocher des os avec une amplitude limitée (elles ne sont pas non plus touchées par l'arthrose).**
- **Les articulations mobiles (appelées aussi diarthroïdales) sont plus diversifiées et, elles, sujettes à l'arthrose.**

Testez vos notions de diététique
100 ml de pur jus d'ananas équivalent à :
a) 42 calories
b) 70 calories
c) 130 calories

Réponse : a) 42 calories.

Séance détaillée du mercredi

Jambe fléchie

Jambe tendue

Dos plat

Pieds parallèles

Avant-bras sur le sol, parallèles

Mains à plat sur le sol

Le conseil du professionnel :

Prenez le temps de bien vous placer afin d'avoir les jambes écartées au maximum.

Question

Doit-on continuer à écarter les jambes tout en avançant les avant-bras ?

Réponse

Oui ! Vous pouvez également prendre appui avec une main sur le support. Choisissez bien la hauteur de votre support afin de ne pas le trouver trop élevé pendant la phase d'étirement.

Testez vos notions de diététique

Le sucre blanc doit contenir au minimum un certain pourcentage de saccharose pur ; quel est-il ?
a) 92,4 %
b) 96,2 %
c) 99,7 %
. . . .

pur.

Réponse : c) Le sucre doit contenir au moins 99,7 % de saccharose

Posture 4
Écart des jambes

Description

Debout, jambes écartées, fléchissez une jambe. Placez ensuite les avant-bras sur le sol (ou les mains si vous êtes insuffisamment souple). Maintenez l'avancée maximale des avant-bras (ou des mains) pendant 20 secondes sur le sol en inspirant par le nez et en expirant par la bouche le plus lentement possible.

Décontractez-vous complètement en vous redressant pendant une quinzaine de secondes.

Répétition

Faites 4 postures alternées.

Variante

Réalisez la même posture avec les pieds en ouverture.

Mieux comprendre l'homéopathie

Elle existe depuis deux cents ans et son évolution a donné naissance à diverses écoles.

La première est partisane d'un traitement homéopathique ne comportant qu'un seul remède. On donne le nom d' « unicistes » aux homéopathes la pratiquant.

La seconde tendance traite le patient avec plusieurs médicaments (5 au maximum). Les adeptes de ce raisonnement se nomment les « pluralistes ».

Le dernier groupe estime que l'organisme a la faculté de reconnaître les médicaments dont il a besoin pour combattre l'infection. Les praticiens prescrivent en conséquence un ou plusieurs mélanges médicamenteux. Ces homéopathes portent le nom de « complexistes ».

Rassurez-vous : le résultat pour le patient n'est pas fonction de la méthode, mais surtout de la compétence du prescripteur.

Comprendre
et mieux supporter la douleur !

Nous avons presque tous eu un claquage ou une déchirure musculaire en pratiquant un sport.

Que se passe-t-il dans le cas d'une lésion ?
Lorsqu'un nerf est stimulé, l'information va de la moelle épinière au cerveau. Si ce dernier reçoit un message de douleur, il renvoie à son tour ses propres signaux. Ce système nommé « *gate control* » émet des messages ayant pour rôle de bloquer ou de transmettre les informations émises d'un nerf vers un autre.

La souffrance n'est perçue que quand les signaux émis arrivent au cerveau. Si le *gate control* est efficace, la sensation douloureuse sera moins intense.

Des facteurs, tels le stress, peuvent inactiver en partie ce processus et amplifier une sensation, minime au départ. Mais, on a constaté qu'un sportif après un entraînement, s'il est très détendu, peut avoir une sensation amoindrie d'un traumatisme. Comme quoi les facteurs extrinsèques jouent dans les deux sens.

Il importe donc de rechercher des contre-stimulants de la douleur, tels :
- la concentration sur un autre pôle d'intérêt que le traumatisme ;
- les stimulations physiques, comme les massages, l'acupuncture, la chaleur ou le froid ;
- l'activité physique (si la zone douloureuse le permet, bien sûr), par exemple, si on souffre du cou : faire du vélo d'appartement ;
- éventuellement, certaines médications…

Conclusion : le moral et le contexte environnant jouent un rôle notable dans la perception de la douleur !

Stretching
et articulation

Toute gestuelle part du centre de l'articulation. La précision et l'angle d'ouverture d'un mouvement dépendent de l'aptitude à la souplesse de ladite articulation. Le stretching a donc une action extrêmement bénéfique car il étire les ligaments.
Le fait de posséder des articulations déliées permet la réalisation de gestes plus amples, ce qui constitue une prévention certaine de certains traumatismes (chutes de ski, par exemple). Le stretching augmente l'espace dans la capsule articulaire, diminuant ainsi les risques de frottements.

Programme du jeudi en 15 minutes

Posture 1

Étirement général
Faire 4 étirements alternés de 12 secondes chacune.

Posture 2

Flexion latérale de la taille
Faire 4 postures alternées de 20 secondes chacune.

Posture 3

Rotation de la taille
Faire 4 étirements alternés de 15 secondes chacun.

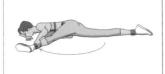

Posture 4

Assouplissement des adducteurs
Faire 4 étirements alternés de 20 secondes chacun.

N'oubliez pas de vous décontracter complètement en respirant le plus lentement possible entre chaque posture.

Relevez-vous lentement en expirant par la bouche en fin de séance.

La description détaillée de ces techniques se trouve dans les pages suivantes.

Séance détaillée du jeudi

Posture 1
Étirement général

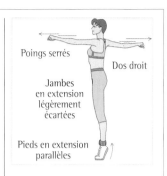

Poings serrés

Dos droit

Jambes
en extension
légèrement
écartées

Pieds en extension
parallèles

Description

Debout, en équilibre sur les orteils, étirez devant vous le bras gauche dans l'axe de son articulation et le bras droit le plus possible vers l'arrière. Maintenez ainsi l'extension maximale pendant 12 secondes en inspirant par le nez et en expirant par la bouche le plus doucement possible.
Décontractez-vous complètement pendant une dizaine de secondes avant d'inverser la position.

Répétition

Faites 4 postures alternées.

Variante

Réalisez la même technique en écartant latéralement les jambes au maximum, pieds parallèles.

Le conseil du professionnel :

À l'instar des autres postures d'équilibre, n'hésitez pas à fixer une ligne verticale.

Question
Peut-on vriller un peu le corps avec cette posture ?

Réponse
Non ! Cette posture concerne un étirement des épaules et non une souplesse rotative du corps.

Effet placebo et homéopathie

L'effet placebo est la conséquence thérapeutique d'un produit sans aucune caractéristique pharmacologique.
On pense qu'il existe bel et bien un effet placebo homéopathique, dû entre autres à des réactions psychoaffectives. Mais il ne s'agit pas de dire pour cela que l'homéopathie est inefficace, car malgré la faible dilution des médicaments prescrits, cette efficacité ne peut être mise en cause.
Il importe cependant, lors de prescriptions homéopathiques, de se faire expliquer la raison du choix des médicaments.
30 % des Français se soignent régulièrement ou occasionnellement grâce à l'homéopathie et environ 10 000 médecins l'utilisent.

Testez vos notions de diététique

Quel est l'aliment qui contient le plus d'eau ?
a) la carotte
b) la tomate
c) la salade verte

. . . .

Réponse : c) C'est la salade verte avec 95 % d'eau. La tomate et la carotte n'en contiennent que 91 %.

Séance détaillée du jeudi

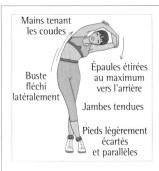

Mains tenant les coudes

Buste fléchi latéralement

Épaules étirées au maximum vers l'arrière

Jambes tendues

Pieds légèrement écartés et parallèles

Le conseil du professionnel :

Évitez à tout prix de fléchir la tête vers l'avant car il importe de conserver la tête et le dos sans aucune flexion avant.

Question

Peut-on tenir les avant-bras au lieu des coudes ?

Réponse

Si vraiment votre amplitude articulaire des bras ne vous permet pas de réaliser la posture de base, vous pouvez effectivement maintenir vos avant-bras sans trop réduire l'efficacité de la technique.

Testez vos notions de diététique

Qu'est-ce que l'appertisation ?
a) déshydratation des aliments
b) ionisation des aliments
c) association des diverses possibilités de conservation

• •

Réponse : c) procédé de longue conservation des aliments résultant d'un traitement thermique et d'un emballage spécifique étanche.

Posture 2
Flexion latérale de la taille

Description

Debout, bras fléchis en élévation, jambes croisées, fléchissez latéralement le buste. Maintenez l'extension maximale durant 20 secondes en inspirant par le nez et en expirant par la bouche le plus doucement possible. Décontractez-vous pendant une dizaine de secondes avant d'inverser la position.

Répétition

Faites 4 postures alternées.

Variante

Réalisez la même technique en nouant les doigts derrière la nuque (sans la toucher), coudes élevés au maximum vers l'arrière.

N'abusez pas des vitamines

En France, les cas d'hypervitaminose, certes, sont rares ! Cela est différent aux États-Unis où une enquête récente a démontré que 10 % des hommes consomment en excès les vitamines B, C, D et E ; quant aux femmes, elles consomment trop de fer. Une étude a également démontré que les personnes âgées ayant un apport régulier et normal de vitamine C ont une espérance de vie supérieure à celles qui en manquent.
Il importe aussi d'avoir un bon apport en vitamines A et B6 pour le bon fonctionnement du système immunitaire.
Mais en revanche, l'excès en :
- vitamine A peut être néfaste pour le foie et les globules blancs ;
- vitamine C peut générer des troubles gastro-intestinaux et rénaux ;
- vitamine D crée une concentration importante de calcium dans le sang ;
- vitamine B6 peut être à l'origine de polynévrites (atteinte simultanée de plusieurs nerfs par intoxication ou infection) des membres.
Conclusion : choisissez une alimentation équilibrée sans ajout prolongé d'apport vitaminique.

Séance détaillée du jeudi

Posture 3
Rotation de la taille

Description

Debout, jambes écartées au maximum, fléchissez le buste devant vous. Placez le bras gauche au milieu des jambes, élevez le bras droit le plus possible à l'arrière. Maintenez l'extension maximale du bras droit vers l'arrière pendant 5 secondes en inspirant par le nez et en expirant par la bouche le plus lentement possible.
Décontractez-vous complètement pendant une quinzaine de secondes avant d'inverser la position.

Répétition

Faites 4 postures alternées.

Variante

Réalisez la même technique avec les pieds dirigés vers l'extérieur (ce qui peut entraîner un écart des jambes plus grand).

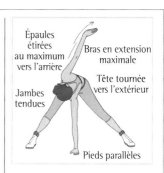

Épaules étirées au maximum vers l'arrière — Bras en extension maximale — Tête tournée vers l'extérieur — Jambes tendues — Pieds parallèles

Le conseil du professionnel :

Pensez à bien étirer votre nuque pendant toute la durée de l'étirement afin de conserver le dos bien plat.

Question

Est-ce une obligation que de toucher le sol avec les doigts?

Réponse

Non! Dans un cas de forte rigidité articulaire, éloignez plus les pieds vers l'arrière, mais ils doivent bien rester parallèles.

Testez vos notions de diététique
Combien existe-t-il de catégories de sucre ?
a) 6
b) 8
c) 10

Réponse: c) 10 : semoule, blanc cristallisé, cassonade, vergeoise, glace, gélifiant, candi, en morceaux, en cubes, liquide.

Qu'est-ce la testostérone ?

C'est une hormone produite par les testicules agissant sur le développement des organes génitaux et des caractères sexuels secondaires. Elle est produite en très faible quantité (un homme d'âge moyen en fabrique 6 à 7 mg par jour).
La testostérone agit indirectement sur l'érection par l'intermédiaire de la libido et sur la sensibilité. La carence de testostérone entraîne une baisse de la libido, ainsi qu'une diminution de la spermatogénèse, de la masse musculaire et de l'agressivité. L'excès de testostérone peut entraîner des troubles du comportement, ainsi qu'un développement excessif des muscles. La testostérone a également une action au niveau du cerveau, du système pileux, des cellules du sang, de la graisse et des os.

Séance détaillée du jeudi

Paume sur le sol

Avant-bras replié sous le menton

Tête dirigée vers le sol

Pied en extension

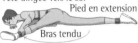

Bras tendu

Pied en flexion

Jambe en extension maximale

Le conseil du professionnel :

Veillez à ne pas bouger la jambe dans le prolongement du corps lorsque vous ramenez l'autre vers le visage.

Question

Peut-on fléchir un peu la jambe dans le prolongement du corps ?

Réponse

Plaquez bien l'ensemble de votre corps contre un mur derrière vous et appuyez en douceur. Cela vous assouplira efficacement.

Testez vos notions de diététique

La mandarine est riche en :
a) vitamines C, A, potassium
b) vitamines C, A, magnésium
c) vitamine C, calcium, magnésium

....

raux qu'une orange.
toutefois moins riche en sels miné-
vitamine A et potassium. Elle est
Réponse : a) riche en vitamine C,

Posture 4
Assouplissement des adducteurs

Description

Allongé sur le ventre, jambes tendues dans le prolongement du corps : ramenez la jambe gauche avec la main gauche vers le visage. Maintenez l'extension maximale durant 20 secondes en inspirant par le nez et en expirant par la bouche le plus lentement possible.
Décontractez-vous pendant une quinzaine de secondes avant d'inverser la posture.

Répétition

Faites 4 postures alternées.

Variante

Réalisez la même technique avec le pied de la jambe étirée en extension.

Sommeil et ronflement

Quelques estimations : les sondages précisent que, vers 35 ans, 20 % des hommes et 5 % des femmes ronflent. Vers 65 ans, les choses ne s'arrangent pas car le problème concerne 60 % des hommes et 40 % des femmes.
L'explication : le ronflement est produit par la vibration des muqueuses des voies aériennes de la respiration. Divers éléments peuvent également vibrer et produire cette onde sonore désagréable, tels le voile du palais, la luette, la langue, les muqueuses du pharynx. D'autres facteurs peuvent également favoriser le ronflement, comme l'alcool, certains médicaments, l'obésité, l'hypothyroïdie (absence ou insuffisance de sécrétion thyroïdienne), certaines allergies et les rhinites. Les anomalies physiques, comme un petit cou, une langue trop volumineuse, une luette hypertrophiée, une asymétrie des cloisons nasales, peuvent aussi être à l'origine du ronflement. L'excès de tabac peut provoquer une congestion des muqueuses.

Qu'est-ce que le rhumatisme ?

Le mot provient de *rheumatismus* signifiant « écoulement d'humeurs ». Cette définition peu précise concerne plus de trois cents sortes de rhumatismes différents.

Les spécialistes dénomment ainsi les maladies liées aux articulations, alors que le patient a tendance à appeler ainsi tous les problèmes liés aux articulations, muscles, tendons…

En généralisant, le terme « rhumatismes » regroupe l'arthrite, l'arthrose, la goutte, les rhumatismes dégénératifs métaboliques et inflammatoires.

Il exite divers types de rhumatismes qui peuvent avoir pour origine, par exemple, des lésions des surfaces cartilagineuses ou de l'os, l'inflammation de la membrane synoviale, des modifications du liquide synovial et des altérations des ligaments, tendons, muscles ou racines nerveuses.

Bien sûr, une douleur accompagne ces traumatismes ; elle est augmentée par une activité sportive mal adaptée, le stress et la fatigue.

Il est impératif de consulter un spécialiste dès les premiers symptômes.

L'arthrose...

Elle peut se manifester sous deux formes: l'arthrose primitive et l'arthrose secondaire. La première atteint les personnes âgées de plus de 45 ans et peut avoir pour origine un surplus pondéral marqué (les obèses sont en général plus sujets à l'arthrose que les personnes minces) ou par l'hérédité.

L'arthrose secondaire apparaît avant la quarantaine et peut être due à un traumatisme, à des entraînements mal menés, ou à des dysfonctionnements métaboliques. Parfois, l'arthrose est la conséquence d'un mauvais alignement des os.

Le stretching est-il recommandé aux personnes n'ayant jamais fait de sport ?

Oui! Il permet ainsi une (re)mise en condition physique douce et progressive. Il est également recommandé aux personnes n'ayant pas fait de sport depuis longtemps.

Programme du vendredi en 15 minutes

Posture 1
Étirement dorsal et souplesse des adducteurs
Faire 4 étirements alternés de 15 secondes chacun.

Posture 2
Souplesse de la taille et des épaules
Faire 4 étirements alternés de 15 secondes chacun.

Posture 3
Étirement de l'extérieur de la cuisse
Faire 4 étirements alternés de 15 secondes chacun.

Posture 4
Écart des jambes
Faire 4 étirements alternés de 20 secondes chacun.

N'oubliez pas de vous décontracter complètement en respirant le plus lentement possible entre chaque posture.

Relevez-vous lentement en expirant par la bouche en fin de séance.

La description détaillée de ces techniques se trouve dans les pages suivantes.

Posture 1
Étirement dorsal et souplesse des adducteurs

Doigts serrés en extension
Main sur l'intérieur du genou
Épaules étirées vers l'arrière
Tête étirée vers le haut
Jambe tendue
Talon près du bassin
Pied fléchi

Description

Assis, les jambes écartées au maximum, la jambe droite fléchie, l'autre tendue : écartez la jambe droite avec la main droite et étirez le bras gauche à la verticale. Maintenez simultanément les deux extensions pendant 15 secondes en inspirant par le nez et en expirant par la bouche le plus lentement possible.

Répétition

Faites 4 postures alternées.

Variante

Réalisez la même posture en tendant au maximum le pied de la jambe tendue.

Un mot sur les rayons ultraviolets

Ils comportent : les UVA, les UVB et les UVC.
- **Les UVA** sont absorbés par la peau et pénètrent jusqu'au derme. Ils provoquent un bronzage superficiel instantané. Ils facilitent la multiplication des radicaux libres, aident à l'émergence des taches brunes et peuvent provoquer certaines tumeurs cutanées. Ils sont cependant moins dangereux que les UVB. Comme les UVA pénètrent dans la peau en profondeur, ils favorisent le vieillissement en perturbant la synthèse des fibres élastiques et du collagène.
- **Les UVB** ne représentent que 2 % des UV qui pénètrent dans la peau, mais ils sont responsables des coups de soleil et provoquent également le bronzage. Ils peuvent être responsables de cancers de la peau d'autant plus qu'ils sont associés aux UVA, lorsque nous les subissons. Ils présentent également les mêmes inconvénients.
- **Les UVC** ne nous concernent pas car ils sont stoppés par la couche d'ozone.
Conclusion : les spécialistes conseillent dix minutes maximum d'exposition par jour en évitant le plein ensoleillement. Cela suffit à préserver notre santé et la jeunesse de notre peau.

Le conseil du professionnel :

Le dos doit rester le plus droit possible et les fesses doivent être bien en appui sur le sol.

Question

Est-il conseillé de s'adosser à un mur pour réaliser cette posture ?

Réponse

Si vous êtes réellement raide : oui ! Si vous êtes normalement souple : non ! En effet, si vous vous adossez, vous avez moins la possibilité de bien étirer le bras en extension vers l'arrière.

Testez vos notions de diététique
Quels sont les bienfaits du citron ?
a) antigoutteux
b) protecteur des capillaires sanguins
c) antiseptique

• •

Réponse : c) antiseptique, mais aussi anti-fatigue, antirhumatismal, antigoutteux, diurétique, reminéralisant, fébrifuge…

Séance détaillée du vendredi

Doigts entrelacés
Paumes décollées de la nuque
Coudes étirés au maximum vers l'arrière
Dos en rotation
Jambes écartées de la largeur du bassin
Pieds parallèles

Le conseil du professionnel :

Le bassin doit impérativement rester de face.

Question

Peut-on tourner la tête du même côté que la rotation, au lieu de la maintenir dans l'axe du buste ?

Réponse

Si vous ressentez mieux la posture en effectuant une rotation du cou, n'hésitez pas.

Testez vos notions de diététique

Quel est le nombre de tailles pour le calibrage des œufs ?
a) 3
b) 4
c) 5

. . . .

Réponse : b) 4 : les petits (moins de 53 g), les moyens (de 53 à 63 g), les gros (de 63 à 73 g) ; les très gros (de 73 g et plus).

Posture 2
Souplesse de la taille et des épaules

Description

Assis ou debout, jambes fléchies, doigts serrés derrière la nuque, réalisez une rotation du buste. Maintenez l'extension maximale pendant 15 secondes en inspirant par le nez et en expirant par la bouche le plus lentement possible. Décontractez-vous complètement pendant une dizaine de secondes avant d'inverser la position.

Répétition

Faites 4 postures alternées.

Variante

Réalisez la même technique en plaçant chaque main sur l'omoplate opposée.

Sportifs : consommez du chocolat !

**Le chocolat a une grande richesse nutritionnelle surtout en magnésium, phosphore, sodium, calcium, potassium.
Une barre de chocolat comporte 68 mg de potassium (indispensable pour les contractions musculaires) et 0,5 mg de fer. Il convient toutefois de ne pas en abuser car il représente en moyenne 500 calories pour 100 g.
Préférez la consommation de chocolat noir à celle du chocolat au lait, beaucoup plus calorique. Le chocolat blanc l'est encore plus en raison de son pourcentage plus élevé en beurre de cacao. Le chocolat noir est un mélange de beurre de cacao, de sucre et de pâte de cacao. Le taux de cacao du chocolat noir peut varier de 30 à 95 %. Préférez donc toujours les chocolats au taux de cacao le plus élevé ! Le chocolat au lait contient environ 30 % de cacao, 50 % de sucre et 20 % de lait. Le chocolat blanc est un mélange de beurre de cacao, de lait, de sucre et de vanille.**

Séance détaillée du vendredi

Posture 3
Étirement de l'extérieur de la cuisse

Description

Assis, fléchissez la jambe gauche sur le sol en ramenant au maximum le pied gauche vers le corps et vers la droite. Faites passer la jambe droite au-dessus de la cuisse gauche et ramenez le genou droit vers le buste avec la main gauche. Placez la main droite sur le sol afin de renforcer la position verticale du dos. Maintenez l'action d'étirement maximale de la main gauche pendant 15 secondes en inspirant par le nez et en expirant par la bouche le plus lentement possible. Décontractez-vous complètement pendant une dizaine de secondes avant d'inverser la position.

Répétition

Faites 4 postures alternées.

Variante

Réalisez la même technique en étirant à la verticale le bras d'appui.

Coude dirigé vers le haut
Tête levée
Main ramenant le genou vers l'extérieur du corps
Bras tendu
Bras fléchi
Main sur le sol

Le conseil du professionnel :

Ramenez au maximum vers l'arrière le pied de la jambe étirée.

Question

Peut-on réaliser une légère rotation du corps d'un côté ou de l'autre avec cette technique?

Réponse

Il vaut mieux ne pas le faire. Cela peut, en effet, ajouter des étirements supplémentaires peu souhaitables au niveau des lombaires.

Il y a rides et... rides!

On distingue trois types de rides:
- **Les rides actiniques:** elles sont le résultat des expositions au soleil du visage et concernent l'ensemble du visage. Elles ne sont pas disgracieuses en raison de leur finesse.
- **Les rides d'expression:** elles personnalisent un visage. Ce sont les rides de la « patte d'oie » (au niveau des yeux), du lion (entre les yeux), du sillon naso-génien (de chaque côté du nez) et les rides dites de l'interrogation (au-dessus des sourcils).
- **Les rides d'affaissement:** elles sont accompagnées de plis ou de poches au niveau des joues, des paupières, des lèvres et tirent le visage vers le bas. Ce sont les plus inesthétiques. Heureusement, la chirurgie esthétique et la cosmétologie sont là pour vous proposer des solutions de plus en plus fiables!

Testez vos notions de diététique

Les poissons gras comportent des lipides. Quel est leur pourcentage?
a) 10 %
b) 15 %
c) 20 %

• •

Réponse: a) Les poissons gras (saumon, thon, hareng, maquereau, etc.) contiennent 10 % de lipides.

Séance détaillée du vendredi

Mains soulevant le mollet de chaque côté de la jambe

Pied fléchi

Jambe en extension maximale

Dos droit

Jambe contre le sol

Orteils retournés

Le conseil du professionnel :

Ne cherchez pas à fléchir la tête vers la cuisse : le dos et le cou doivent rester impérativement droits dans le cadre de cette technique.

Question

Peut-on réaliser cette posture sans l'aide des mains ?

Réponse

Oui ! Il convient simplement d'être un peu entraîné car cela n'est pas à la portée de tous !

Testez vos notions de diététique

Quel est le légume le plus consommé en France ?
a) la pomme de terre
b) la salade (toutes variétés)
c) la tomate

••••••••••••••••••••••••••

Réponse : a) La pomme de terre (71 kg par an et par habitant). Elle n'est pas très calorique.

Posture 4
Écart des jambes

Description

À genoux, face à un mur, prenez appui sur le haut de celui-ci avec un talon. Maintenez la hauteur maximale pendant 20 secondes en inspirant par le nez et en expirant par la bouche le plus lentement possible.
Décontractez-vous complètement pendant une vingtaine de secondes avant d'inverser la position.

Répétition

Faites 4 postures alternées.

Variante

Réalisez la même posture en déviant la jambe vers la gauche puis sur la droite, au lieu de les placer en face.

Qu'est-ce que l'épicondylite ?

Elle concerne l'inflammation du tendon commun des muscles épicondyliens (qui se trouvent sur la face externe du coude). L'épicondylite des joueurs de tennis se nomme le tennis-elbow.
Ce syndrome provient soit d'un geste mal réalisé répété, soit de l'utilisation d'objets mal adaptés à la morphologie du pratiquant. Un surentraînement peut également provoquer ce traumatisme.
L'épicondylite se manifeste par une douleur à la palpation des muscles épicondyliens ou lors de leur contraction. Le traitement s'effectue le plus souvent à l'aide de pommades anti-inflammatoires ou d'infiltrations, parfois complétées par des techniques d'étirement ou de renforcement musculaire. Il importe de ne plus avoir de sensation douloureuse avant de reprendre tout entraînement et surtout… de déterminer l'origine du traumatisme, afin d'éviter de le reproduire.

Quelques plantes médicinales

Tous les herboristes vous en parleront, certaines plantes peuvent avoir une action efficace anti-douleur pour des cas bien précis.

Par exemple, la **reine-des-prés** fut médicalisée à partir du XVIIIe siècle sous forme d'infusion, de décoction. Elle est connue depuis 1986 pour améliorer les problèmes articulaires, aider la diurèse et faciliter l'élimination. La reine-des-prés a une teneur organique importante en acide salicylique (dont l'aspirine est un dérivé).

La **prêle** a la réputation d'aider le système d'élimination rénale et digestive et de consolider les os.

L'**ortie piquante** a des propriétés dépuratives et diurétiques. Les spécialistes la conseillent également pour la goutte et les rhumatismes. On dit aussi qu'elle constitue une prévention de certains types d'altération des os.

Les **algues** ont également une action anti-stress et d'élimination. Elles ont la réputation d'activer le métabolisme, d'aider à perdre du poids, de redonner des minéraux à l'organisme et d'avoir une action bénéfique sur les douleurs liées aux rhumatismes.

Il faut citer aussi le **bouleau** qui est recommandé pour l'arthrose, l'arthrite, les œdèmes, car il a une action diurétique et décongestionnante. Certains le recommandent également pour le cholestérol et l'hypertension.

L'**aubier de tilleul** est conseillé entre autres pour la goutte, les rhumatismes, l'hypertension, l'hépatisme, l'arthrite, etc.

La **racine de bardane** est dépurative et diurétique, recommandée pour certaines douleurs articulaires. Quant à ses feuilles, elles possèdent certaines vertus anti-douleur.

Les bienfaits des fruits

- **La pomme a la réputation de régulariser le transit intestinal, de faire diminuer le taux de cholestérol, d'être diurétique et antidiarrhéique.**
- **Le melon stimule la fonction rénale et est diurétique. On le recommande aux personnes souffrant d'entérite.**
- **La banane est riche en magnésium et en amidon, en fibres et en glucides, c'est un aliment très intéressant.**
- **La fraise contient de la vitamine C et des sels minéraux, elle est digeste et tonifiante.**

Programme du samedi en 15 minutes

Posture 1
Étirement dorsal et de la jambe
Faire 4 étirements alternés de 12 secondes chacun.

Posture 2
Rotation du tronc
Faire 4 postures alternées de 12 secondes chacune.

Posture 3
Souplesse des jambes
Faire 4 étirements alternés de 10 secondes chacun.

Posture 4
Étirement du dos et des jambes
Faire 4 étirements alternés de 15 secondes chacun.

N'oubliez pas de vous décontracter complètement en respirant le plus lentement possible entre chaque posture.

Relevez-vous lentement en expirant par la bouche en fin de séance.

La description détaillée de ces techniques se trouve dans les pages suivantes.

Séance détaillée du samedi

Posture 1
Étirement dorsal et de la jambe

Description

Assis, tendez la jambe droite devant vous (bien dans l'axe de son articulation). Fléchissez la jambe gauche à l'arrière. Penchez ainsi au maximum le buste sur la jambe tendue pendant 12 secondes en inspirant par le nez et en expirant par la bouche le plus lentement possible.
Décontractez-vous complètement pendant une vingtaine de secondes avant d'inverser la position.

Répétition

Faites 4 postures alternées.

Variante

Réalisez la même posture, en entrelaçant les doigts, les paumes dirigées vers l'extérieur.

Bras en extension maximale
Épaules étirées vers l'avant
Doigts écartés le plus possible

Dos plat

Jambe tendue
Pied en flexion
Jambe fléchie
Talon touchant la fesse

Le conseil
du professionnel :

Le genou de la jambe
fléchie doit être étiré
au maximum
vers l'arrière.

Question

Peut-on pencher le buste entre les jambes et non au-dessus de la jambe tendue?

Réponse

Non! C'est nettement plus facile à réaliser. Cela peut convenir à des personnes ne s'étant jamais étirées ou très raides morphologiquement.

Quelques chiffres concernant les problèmes dorsaux

Le premier résultat est alarmant:
70 % des adultes ont (ou ont eu) à se plaindre de leur dos. En dix ans (de 1982 à 1992), la fréquence des lombalgies a triplé: 47 % des Français en souffrent (ou en ont souffert). Les problèmes dorsaux concernent 9 % des consultations de médecine générale, 8 % des actes de radiodiagnostic, 30 % des actes de kinésithérapie, 13 % des invalidités induites. Aux États-Unis, entre 1960 et 1980, le coût d'indemnisation de l'invalidité lombalgique a été multiplié par 27. Ces valeurs sont éloquentes et ne peuvent qu'inciter à opter pour une attitude préventive au niveau de l'hygiène de vie (essentiellement en surveillant son poids et ses divers positionnements).

Testez vos notions de diététique
Combien existe-t-il de variétés de laitue ?
a) 18
b) 43
c) 100

Réponse: c) 100. On lui attribue un effet calmant et sédatif.

Séance détaillée du samedi

Pied fléchi
Tête tournée
Dos en rotation
Bras tendu
Jambe fléchie
Talon près du bassin
Main sur le sol près du bassin

Le conseil du professionnel :

Étirez bien la jambe sur le côté et vers l'arrière.

Question

Est-ce mieux de tenir la cheville ou la plante du pied de la jambe en élévation?

Réponse

C'est à votre convenance, suivant vos possibilités d'amplitude articulaire.

Posture 2
Rotation du tronc

Description

Assis, fléchissez la jambe droite devant vous, élevez la jambe gauche sur le côté en la maintenant avec la main gauche à la verticale. Repoussez le sol avec la main droite afin de bien étirer le dos. Réalisez ainsi une rotation du corps vers la gauche. Maintenez l'étirement maximal pendant 12 secondes en inspirant par le nez et en expirant par la bouche le plus lentement possible.

Décontractez-vous complètement pendant une quinzaine de secondes avant d'inverser la position.

Répétition

Faites 4 postures alternées.

Variante

Réalisez la même technique en tendant la jambe qui est devant vous.

Testez vos notions de diététique

Le persil est riche en :
a) vitamine C
b) vitamine D
c) vitamine E

· ·

Réponse : a) vitamine C, mais aussi vitamine A, calcium, fer, acide folique, phosphore, potassium.

Êtes-vous sujet aux palpitations ?

Un état anxieux et parfois le stress peuvent être la cause de palpitations. Il est alors sage de consulter un médecin si cet inconvénient persiste.

L'abus de café et de thé peut être source de palpitations. Il est également possible d'avoir ce problème après avoir fait un repas trop copieux. Les palpitations peuvent être aussi dues à une hypoglycémie. Il est recommandé d'éviter les sucres rapides, les gâteaux, tous types de confiserie et l'alcool, et d'avoir une alimentation riche en fibres, légumes, fruits, céréales et sucres lents (riz, pâtes, etc.).

Posture 3
Souplesse des jambes

Épaules en repos sur un support
Jambe en extension maximale
Bras fléchis
Coudes dirigés vers l'extérieur
Dos plat soulevé du sol
Mollet perpendiculaire au sol

Description

Allongé sur le dos, les épaules en repos sur un support (coussin, tapis de gymnastique plié en quatre, couverture, etc.), fléchissez vos jambes et soulevez le bassin. Élevez ensuite la jambe droite à la verticale et ramenez-la le plus près possible du visage à l'aide des mains. Maintenez l'extension maximale de l'arrière de la jambe pendant 10 secondes en inspirant par le nez et en expirant par la bouche le plus lentement possible.

Décontractez-vous complètement pendant une vingtaine de secondes avant d'inverser la position.

Répétition

Faites 4 postures alternées.

Variante

Réalisez la même technique en étirant la jambe sur le côté et non devant vous.

Le conseil du professionnel :

Surtout, ne vous cambrez pas ! Le dos doit conserver ses courbures naturelles.

Question

Peut-on abaisser un peu le bassin en cas de grande fragilité lombaire ?

Réponse

Oui ! Toutefois, cette variante enlève une partie de l'efficacité de la posture.

Testez vos notions de diététique

Où trouve-t-on le zinc dans l'alimentation ?
a) poisson
b) carottes
c) œufs

....

Réponse : c) œufs, mais aussi viandes rouges, abats, produits laitiers, fruits de mer, céréales et quelques légumes verts.

Mangez des fraises !

Outre sa saveur, la fraise est une excellente source de vitamine C et de sels minéraux. Elle contient également du potassium, du magnésium et de l'acide folique.
Elle est un aliment de choix pour les personnes ayant une activité physique régulière car elle est très digeste et a la réputation de tonifier l'organisme. Elle a une action diurétique, dépurative, reminéralisante, astringente, antianémique, antirhumatismale, régulatrice du système intestinal.
Il existe plus de 600 variétés de fraises dans le monde.

Séance détaillée du samedi

Jambes tendues au maximum

Dos plat

Bras parallèles

Avant-bras et paumes sur le sol

Le conseil du professionnel :

Ne décollez pas le talon de la jambe arrière ; si c'est le cas, rapprochez un peu les jambes.

Question

Quelle est la partie du dos la plus étirée ?

Réponse

Si la posture est très bien réalisée, l'étirement est général, même si l'on a tendance à ressentir un étirement en haut du dos, mais qui concerne plutôt les épaules en raison du positionnement des bras.

Testez vos notions de diététique

La banane est un fruit originaire :
a) d'Afrique
b) d'Asie
c) d'Amérique du Sud

· ·

Réponse : b) d'Asie. Elle ne fut vraiment connue en Europe qu'au début du XXe siècle.

Posture 4
Étirement du dos et des jambes

Description

Debout, placez une jambe devant l'autre. Écartez les pieds d'environ 20 cm. Fléchissez le buste vers l'avant en essayant de poser les avant-bras sur le sol. Maintenez la flexion maximale du corps pendant 15 secondes en inspirant par le nez et en expirant par la bouche le plus doucement possible. Redressez-vous complètement très lentement en essayant de dérouler le dos, vertèbre par vertèbre.
Décontractez-vous complètement pendant une trentaine de secondes avant d'inverser la position.

Répétition

Faites 4 postures alternées (en changeant la position des pieds).

Variante

Réalisez la même technique en étirant au maximum les bras parallèles devant vous.

Gastrite et alimentation

La gastrite est une inflammation au niveau de l'estomac. Elle peut se manifester de façon ponctuelle ou chronique.
Les prémices de la gastrite sont des brûlures ou des impressions de chaleur à l'estomac.
La gastrite aiguë a plusieurs origines : une intolérance alimentaire, une réaction négative à un médicament, un excès d'alcool, un virus, une bactérie (*helicobacter pylori*).
Dans le cas de gastrites chroniques, la douleur est le plus souvent d'intensité variable, due à l'absorption d'aliments sucrés ou d'alcool. Cette sensation de brûlure se manifeste généralement en début ou en fin des repas et n'est que partiellement calmée par des médicaments alcalins.
Pour les gastrites aiguës et suraiguës, des vomissements (parfois avec du sang) peuvent accompagner les douleurs épigastriques.

Conclusion

Voilà, vous avez terminé votre mois d'entraînement!
Vous pouvez maintenant:
- soit le répéter tout au long de l'année;
- soit vous exercer avec les variantes pendant un mois également, avant de reprendre à nouveau les techniques de base;
- soit alterner une séance de techniques de base et une séance de variantes.

À vous de choisir!

Mais déjà, au bout d'un mois, vous devez sentir tout votre corps détendu, votre dos libéré de ses tensions et une meilleure résistance aux longues stations immobiles (devant l'ordinateur, par exemple).

Bon courage!

Connaissez-vous votre potentiel d'amplitude articulaire maximal ?

Pour le poignet

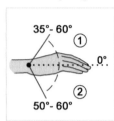

1. Extension dorsale: 35-60°

2. Flexion palmaire : 50-60°

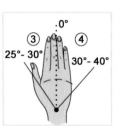

3. Inclinaison radiale: 25-30°

4. Inclinaison cubitale: 30-40°

Pour le coude

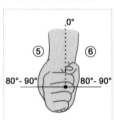

5. Pronation: 80-90°

6. Supination: 80-90°

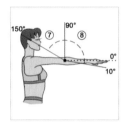

7. Flexion: 150°

8. Extension: 5-10°

Pour l'épaule

Bras le long du corps:

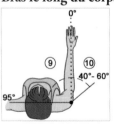

9. Rotation interne: 95°

10. Rotation externe: 40-60°

Bras en abduction à 90°:

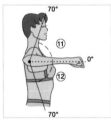

11. Rotation externe: 70°

12. Rotation interne: 70°

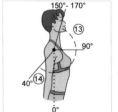

13. Antépulsion: 150-170°

14. Rétropulsion: 40°

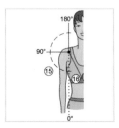

15. Abduction: 80°

16. Adduction: 20-40°

Connaissez-vous votre potentiel d'amplitude articulaire maximal ?

Pour la cheville

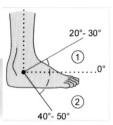

1. Extension dorsale : 20-30°

2. Flexion palmaire : 40-50°

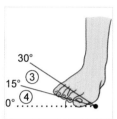

3. Pronation : 15° (le calcanéum est immobile)

4. Éversion : 30°

Pour le genou

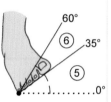

5. Supination : 35° (le calcanéum est immobile)

6. Inversion : 60°

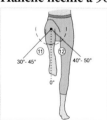

7. Flexion : 120-150°

8. Extension : 5-10°

Pour la hanche

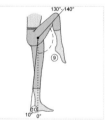

9. Flexion : 130-140°

10. Extension : 10°

Hanche fléchie à 90 °:

11. Rotation externe : 30-45°

12. Rotation interne : 40-50°

Hanche en position neutre :

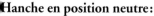
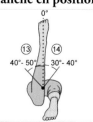

13. Rotation externe : 40-50°

14. Rotation interne : 30-40°

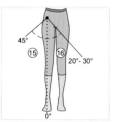

15. Abduction : 30-45°

16. Adduction : 20-30°

Ouvrage dirigé par Bernard Leduc.
Édition : Françoise Colinet. et Fabienne Travers
Correction : Françoise Osteaux.

Illustrations : Delétraz.

Imprimé en Italie par Rotolito Lombarda
Dépôt légal 30671 — février 2003 — édition 01
ISBN : 2501-03886-X
4035655